Nico

I Sion am fynd â ni ar anturiaethau
ac i Mam am fy annog i sgwennu amdanynt

Nico

LEUSA FFLUR
LLEWELYN

y **L**olfa

Hoffai'r Lolfa ddiolch i:

Mairwen Prys Jones
Huw Vaughan Hughes o Ysgol Bro Morgannwg
Mererid Llwyd o Ysgol Glan y Môr
a Gwenno Wyn o Ysgol Gyfun Ddwyieithog y Preseli.
Hefyd, diolch i'r holl ddisgyblion o ysgolion Gwynllyw, Llangefni,
Morgan Llwyd a Phenweddig am eu sylwadau gwerthfawr.

Argraffiad cyntaf: 2013

© Hawlfraint Leusa Fflur Llewelyn a'r Lolfa Cyf., 2013

Comisiynwyd y gyfrol hon gyda chymorth ariannol
Adran AdAS Llywodraeth Cymru

Cynllun y clawr: Tanwen Haf

Rhif Llyfr Rhyngwladol: 978 1 84771 681 1

Cyhoeddwyd ac argraffwyd yng Nghymru
gan Y Lolfa Cyf., Talybont, Ceredigion SY24 5HE
gwefan www.ylolfa.com
e-bost ylolfa@ylolfa.com
ffôn 01970 832 304
ffacs 832 782

1

Un o'r gloch y bore oedd hi, a golau'r lleuad llawn yn bownsio oddi ar wyneb Llyn Celyn. Doedd dim hyd yn oed cri tylluan i'w chlywed, a'r tawelwch yn anesmwyth o annaturiol. Yn sydyn, daeth sblash enfawr i dorri llyfnder y dŵr a dechreuodd y coed grynu dan bwysau'r adar mân yn deffro. Cododd y bachgen tal garreg fawr arall, bron cymaint â maint ei ben, a'i thaflu â'i holl nerth i'r dyfnderoedd. Adleisiodd sŵn y sblash fel swnami oddi ar y bryniau o amgylch y llyn.

'HELÔÔ!' bloeddiodd y bachgen yn ei lais cryg dros y llyn. 'MAE NICO MORGAN ISHO GWYBOD OES 'NA RYWUN YNA?'

'Nac oes,' atebodd y gwynt, a theimlai Nico mai fo oedd yr unig un ar ôl yn y byd mawr crwn.

Syllodd Nico ar y dŵr a dychmygu sut le fyddai yma pe bai hen bentref Capel Celyn yn dal i sefyll yno, yn lle'r llyn llonydd oedd o'i flaen. Fyddai o ddim yn unig, roedd hynny'n siŵr. Caeodd ei lygaid a dychmygu Capel Celyn yn codi o'r dyfroedd, yn bentre bach twt fel pentre Postman Pat. Dychmygodd gymylau mwg yn codi o simneau'r tai bach taclus, a golau mewn ambell ffenest y tu ôl i lenni glân. Gallai Nico glywed nodau hen radio'n dianc dan y drysau a lleisiau rhieni'n dymuno nos da i'r plant yn eu gwlâu. Clywodd gorn car yn ei gyfarch a'r gyrrwr yn codi llaw yn gyfeillgar. Gwenodd Nico a chodi ei law yn ôl. Agorodd ei lygaid. Doedd dim car, na gyrrwr clên yn cyfarch – neb na dim, dim ond y llyn mawr llwyd. Roedd y pentre bach yn dal i fod o dan y dŵr.

Cymerodd Nico gip dros ei ysgwydd i weld a oedd golau yn ffenest Tyddyn Garw ond roedd ei gartre'n dywyll. Doedd ei ymgais i ddeffro'r dyffryn ddim hyd yn oed wedi deffro'i fam o'i thrwmgwsg. Syllodd ar y tyddyn bach cam ar waelod y bryn. Edrychai'n brydferth iawn yng ngolau'r lleuad, ond allai Nico ddim dod i arfer â byw ynghanol nunlle. Hiraethai bob dydd am ei hen gartre ar Riw'r Coleg yn y Bala, ei wres canolog, ei deledu a'i X-Box 360. Roedd hyd yn oed yn colli'r hen Mrs Gramich drws nesa, er ei bod hi'n sbecian drwy'r blwch llythyrau ac yn gweiddi enllibion arno mewn iaith ddieithr.

Ochneidiodd Nico. Ers symud i Dyddyn Garw roedd wedi methu'n lân â chysgu'n iawn. Ond roedd yr ysgol yn cychwyn fory, ac roedd yn rhaid iddo drio cael ychydig oriau o gwsg rhag ofn iddo syrthio i gysgu â'i ben ar y ddesg. Cydiodd mewn un garreg arall a'i thaflu i ganol y llyn gyda sblash enfawr, swnllyd. Gwyliodd y cylchoedd dŵr yn dod yn nes ac yn nes fel petai'r llyn yn ceisio ei hypnoteiddio. Teimlodd ei lygaid yn cael eu tynnu i ganol y cylch. Syllodd nes i'w ben ddechrau troi a dechreuodd deimlo'n gysglyd ofnadwy. Roedd ei amrannau'n drwm a theimlodd y ddaear yn ei dynnu i lawr. Ond cyn ildio i'r blinder gwelodd rywbeth yn arnofio tuag ato ar gylchoedd y llyn. Deffrodd gyda naid. Golchodd y gwrthrych i'r lan ac estynnodd Nico amdano. Potel oedd hi. Synnodd Nico pa mor gynnes oedd y botel, a dŵr y llyn mor rhewllyd o oer. Roedd y botel yn wyrdd ac yn gam ac edrychai fel pe dylai fod ar silff hen fferyllfa. Rhwbiodd yr haen o fwd oddi ar y botel a theimlo marc llythrennau arni. Tybed ai potel o'r pentre dan y llyn oedd hi? Rhwbiodd Nico'r mwd â'i fawd a chraffu'n ofalus ar y llythrennau ym mhelydrau gwantan y lleuad.

'Selador,' darllenodd yn uchel.

Wrth syllu mewn syndod ar y marc, sylwodd fod rhywbeth y tu mewn i'r botel. Ceisiodd ei hagor. Ond roedd y corcyn yn sownd fel cloch. Ceisiodd sawl ffordd i'w hagor – troi'r corcyn, ei frathu, a'i dynnu nerth bôn ei fraich. Yna gwylltiodd, a gweiddi 'Agor!' yn flin. Clywodd sŵn plop fechan a neidiodd cap y botel allan yn daclus a glanio yn y dŵr. Dyna ryfedd, meddyliodd Nico, cyn estyn am y darn o bapur oedd wedi ei rowlio yng ngwddw'r botel. Agorodd y papur a darllen y neges arno. Rhewodd mewn dychryn. Darllenodd y neges eilwaith, ac yna ei darllen yn uchel i fod yn siŵr,

'Nico, tyrd yn ôl at y llyn fory am ddau y bore.'

Roedd hi'n hanner nos ar ei ben ac eisteddai Dyddgu ar falconi ei chartre, a'i thraed yn chwifio fel pendil cloc uwchben y dŵr. Roedd y llanw ar ei uchaf, a'r dŵr yn cyrraedd bron hyd at hanner yr ysgol grog a ddringai i fyny at y drws ffrynt, sawl metr i fyny uwchben y tir.

Tynnodd lond dwrn o'i gwallt tywyll, hir o'i llygaid a'i ddal tu ôl i'w phen mewn cynffon, o afael yr awel chwareus. Syllodd yn ddwfn i'r môr, a gwenu. Roedd y bachgen yno eto heno. Arferai Dyddgu fwynhau'r tawelwch yr adeg yma o'r nos, ar ôl i fwrlwm y dydd dynnu tua'i derfyn, a'r holl siarad, a chwerthin plant bach a'r gweiddi hwyliog di-baid ddod i ben. Ond roedd y tawelwch hwn yn wahanol. Roedd y nos fel petai'n dal ei wynt ac yn esgus cysgu. Ond gwyddai Dyddgu fod bron pawb ar yr ynys mor effro ag adar bach y bore.

Roedd hi'n noson olau, a'r ddau leuad llawn yn yr awyr wrthi am y gorau yn taflu eu goleuni a deffro'r nos.

'Weli di rywbeth?' holodd llais dwfn ei brawd dros ei hysgwydd.

'Na, dim byd,' atebodd hithau heb droi. 'Gad lonydd i mi am eiliad, 'nei di? Fydda i mewn rŵan.'

Am ryw reswm, doedd hi ddim eisiau sôn wrth Gwydion am y bachgen pryd golau roedd hi'n ei weld yn y dŵr. Ei chyfrinach hi oedd honno. Roedd hi'n mwynhau edrych arno, ei wallt tonnog yn chwyrlïo yn y gwynt a'i lygaid mawr trist yn chwilio am rywbeth, fel hithau. Roedd hi'n dywyll o amgylch y bachgen ond roedd rhywbeth am siâp y bryniau a chysgod brigau'r coed a oedd yn creu rhyw naws hudolus na allai Dyddgu ei esbonio. Edrychai fel y math o le yr arferai Melangell Wyn ei ddisgrifio wrth hiraethu am ei hanturiaethau cynnar fel Gwyliwr ifanc.

'Mae 'na gymaint o bethau anhygoel o dy flaen

di, Dyddgu,' dywedodd Melangell wrthi unwaith. 'Bydoedd gwyrdd prydferth, a bryniau a mynyddoedd sy'n cyffwrdd â'r cymylau. Dringa i'r man ucha y galli ei weld ac mi gei di weld y byd i gyd o dy gwmpas. A'r danteithion sy'n tyfu ar y coed – alli di fyth ddychmygu bod y fath flasau'n bodoli! Mwynha bob eiliad. 'Swn i'n gwneud unrhyw beth i gael bod yn ifanc eto...'

Teimlodd Dyddgu bwl sydyn o hiraeth am Melangell Wyn, ac yna ysgydwodd ei chorff i gyd fel petai'n ceisio cael gwared â phryfaid cop oddi ar ei hysgwyddau. Roedd Dyddgu wedi glanio dros ei phen mewn trwbwl oherwydd Melangell Wyn. Gwrandawodd ar y tawelwch llethol o'i chwmpas unwaith eto. Dychmygodd y blancd yn crebachu, fel balŵn yn colli ei wynt yn ara deg. Nid hi yn unig oedd mewn trwbwl oherwydd penderfyniadau twp Melangell Wyn, ond pawb arall hefyd, pob un wan jac o bobol Selador. Sut allai hi fod wedi bod mor hunanol?

'Dyddgu! Ty'd i mewn i'r tŷ 'ma ar unwaith, mae'n hanner nos. A gwae ti os gei di dy ddal gan y Ceidwaid. Maen nhw hyd yn oed yn fwy blin nag arfer – mi w'st ti hynny'n iawn! Mi ei di i drwbwl!' gwaeddodd llais blin ei mam o'r tŷ.

'Ar fy ffordd!' atebodd Dyddgu'n ufudd. Doedd fiw iddi hi fynd yn groes i'w mam. Cawsai ei hatgoffa yn rhy aml o lawer nad oedd hi'n rhy hen i gael chwip din. Roedd hi'n rhy hen wrth gwrs, ond eto roedd hi'n ofalus iawn nad oedd hi'n mynd yn rhy agos ati pan oedd llwy bren yn ei llaw. Clywodd ei mam yn ymbaratoi am ei gwely. Byddai hi'n rhochian cysgu ymhen dau funud. Fe allai aros allan am ychydig eto. Beth bynnag, roedd Dyddgu'n un o'r Gwylwyr, yn un o swyddogion y Deml Dywod. Âi hi ddim i drwbwl, siŵr iawn!

Chwarddodd Dyddgu ar ddiniweidrwydd ei mam, ond yna stopiodd yn sydyn. Roedd Melangell Wyn yn un o'r Gwylwyr hefyd ond roedd hi mewn trwbwl mawr. Efallai y byddai'n well i Dyddgu wrando ar ei mam am unwaith a dychwelyd i'r tŷ. Ond crwydrodd ei llygaid yn ôl at y bachgen a welai yn y môr, ac fe anghofiodd am ei byd a'i broblemau wrth syllu arno o'r balconi. Teimlai ei hamrannau'n drwm ond allai hi ddim tynnu ei llygaid oddi arno.

Yna neidiodd i'r awyr wrth i floedd o 'HOI!' o gyfeiriad y Deml Dywod dorri ar dawelwch y nos. Roedd dau Geidwad yn pwyntio eu fflachlamp tuag ati o'r Porth. Roedd y Ceidwaid yn llawer mwy llym ers diflaniad y Cloc Tywod.

Cododd ei llaw i gydnabod y floedd a chodi ar ei thraed. Roedd y Deml Dywod wedi ei goleuo'n hyfryd a'r ddau Geidwad yn sefyll yn eu hetiau plu tal a'u clogynnau cochion, yn edrych fel dau dwrci blin. Roedd y Deml yn rhy bell iddi allu darllen yr arwyddair a oedd wedi ei gerfio yn y garreg uwchben y Porth. Ond gallai ei adrodd ar ei chof gan ei bod yn cerdded drwy'r drws bob diwrnod ar ei ffordd i'r gwaith, 'Selador yn bod tra bod tywod'. Roedd hynny'n fwy gwir nag erioed, â'r Cloc Tywod wedi mynd. Roedd yn swnio'n debyg i rybudd, nawr fod y Cloc Tywod wedi diflannu.

Cyn troi am y tŷ, craffodd Dyddgu eto i'r môr, a dyna lle roedd y bachgen – fel dyn bach y lleuad – a'i ben yn ei ddwylo. Sibrydodd Dyddgu dan ei gwynt,

'Paid poeni, bydd popeth yn iawn.'

Clywodd lais y bachgen yn gweiddi fel petai drwy dwnnel,

'HELÔÔ! MAE NICO MORGAN ISHO GWYBOD OES 'NA RYWUN YNA?'

Tybed oedd o wedi ei chlywed hi'n sibrwd...?

Sleifiodd i'r tŷ mor dawel â chysgod, fel y dysgodd gan y Gwylwyr, a sefyll yn y drws yn edrych ar ei mam yn cysgu'n drwm ar y gwely yn y gornel. Roedd hi'n chwyrnu mor uchel nes i Dyddgu synnu nad oedd y Ceidwaid wedi dod i'w harestio. Gorweddai Gwydion wrth ei hymyl, wedi cysgu â'i ben mewn llyfr. Edrychai mewn cwsg fel hogyn ifanc, er ei fod bellach hanner troedfedd yn dalach na hi yn nhraed ei sanau. Tynnodd Dyddgu'r llyfr oddi wrth ei brawd yn ysgafn ac agorodd Gwydion un llygad.

'Wyt ti'n gwybod lle mae Melangell Wyn?' holodd yn druenus.

Ochneidiodd Dyddgu mewn syndod.

'Nadw siŵr! Pam 'swn i'n cuddio rhywbeth fel 'na?'

'Ond ti wedi gweld rhywbeth yn y dŵr...' atebodd Gwydion yn benderfynol. 'Dwi'n nabod yr olwg 'na sy'n dy lygaid di. Os ti'n mynd i chwilio amdani, dwi'n dod efo ti.'

'Paid bod yn wirion. Sgen i'm clem lle mac hi. A hyd 'n oed 'se gen i, 'swn i'n deud wrth y Pennaeth yn syth bìn. Beth bynnag, ti'n rhy ifanc i ddod efo fi. Mae'n rhaid i ti fod yn un ar bymtheg oed i deithio drwy'r dŵr fel y Gwylwyr, a dim ond pymtheg wyt ti. Ti'n gwybod hynny'n iawn. A hyd yn oed pan *fyddi* di'n un ar bymtheg, chei di ddim ymuno. Allwn ni'n dau ddim mynd i grwydro dros y lle. Mae angen i rywun aros adre i edrych ar ôl Mam.'

'Ond...'

'Gwydion, dos i gysgu. 'Dan ni angen ein hegni i gyd rŵan fod y Cloc wedi mynd.'

Trodd Dyddgu ei chefn arno'n ddiamynedd, a dechrau paratoi am ei gwely. Gwyddai pam ei bod mor flin. Roedd ei brawd yn graff, ac yn tyfu'n gyflym. Byddai'n ddigon hen i ymuno â'r Gwylwyr yn fuan ac allai hi ddim diodde meddwl amdano yn y sefyllfaoedd peryglus roedd hi wedi eu hwynebu dros y ddwy flynedd ddiwetha ers iddi hi ymuno â Thîm B.

Gorweddodd ar y matras tenau ar y llawr. Roedd Melangell Wyn yn iawn. Roedd hi wedi ymweld â bydoedd prydferth, llefydd anhygoel. Ond roedd elfen arall i'r gwaith hefyd, elfen dywyll a pheryglus. Cofiodd y tro hwnnw pan oedd Tîm B yn chwilio am fetelau ar draeth mawr braf. Roedd yr haul yn tywynnu, a phawb yn chwysu wrth dyllu i'r twyni tywod i gasglu samplau. Adleisiai cân rhyw aderyn swynol dieithr yn yr awyr, ac ymunodd pawb yn y gân drwy chwibanu'n braf. Mae'n siŵr mai tawelwch yr aderyn a rybuddiodd bawb fod rhywbeth o'i le, ac erbyn i Arweinydd Tîm B, Huwi, gyrraedd copa un o'r twyni tywod roedd pawb wedi stopio cloddio ac yn edrych i fyny arno yn aros am gadarnhad fod popeth yn iawn. Gallai Melangell Wyn ddarllen wyneb pryderus ei chariad i'r dim.

'Rhedwch am y tir!' gorchmynnodd hi, a gollyngodd bawb eu rhawiau a rhedeg. Er bod ei llais yn gadarn ac yn dawel, gwyddai Tîm B na fyddai hi'n rhoi rhybudd o'r fath ar chwarae bach. Erbyn i Dyddgu a gweddill y criw gyrraedd y coed, roedd Melangell Wyn a Huwi wedi cyrraedd hefyd.

'Dringwch i'r coed!' meddai'r ddau'n bendant. Llamodd y criw fel mwncïod i fyny i'r brigau yn yr awyr, cyn edrych tua'r môr yn eiddgar i weld beth oedd yno.

Yno, ar y traeth, roedd tri bwystfil llwyd cyn daled â thŷ, a edrychai fel croesiad o ddeinosoriaid a siarcod. Roedd ganddyn nhw bedair coes, ond pennau pysgod a dannedd miniog yn disgleirio yn yr haul. Sylwodd Dyddgu nad oedd ganddyn nhw adenydd, a gweddïai nad oedden nhw'n gallu dringo. Roedd yn amlwg fod y creaduriaid erchyll wedi clywed arogl bwyd, a daethant yn araf ac yn drwm at fôn y coed, gan lafoerio'n llwglyd wrth syllu ar Dîm B yn cuddio yn y dail.

Bu'n rhaid iddynt aros yn y coed drwy'r nos, nes i'r bwystfilod ymlusgo yn ôl tua'r dŵr yn y diwedd i chwilio am frecwast haws i'w ddal.

Crynodd Dyddgu wrth gofio'r digwyddiad erchyll hwnnw. Byddai'n *rhaid* iddi feddwl am ffordd o atal Gwydion rhag ymuno â'r Gwylwyr, penderfynodd yn dawel. Ei dyletswydd hi oedd ei warchod a'i gadw'n ddiogel. Clywodd anadl ei brawd yn arafu wrth iddo syrthio yn ôl i drwmgwsg wrth ymyl eu mam.

Ei chyfrifoldeb hi oedd gwarchod y ddau ohonyn nhw, meddyliodd Dyddgu. Roedd Melangell Wyn wedi mynd â'r Cloc Tywod, ffynhonnell bywyd popeth byw ar y blaned, a diflannu drwy'r dŵr i bwy a ŵyr ble. Golygai hyn fod Gwydion, ei mam, hi ei hun a gweddill pobol Selador eisoes mewn perygl enbyd. Teimlodd euogrwydd anesboniadwy yn cronni fel poen yn ei bol. Er ei bod hi'n gwbwl ddiniwed, allai hi chwaith ddim gwadu mai Melangell Wyn oedd ei mentor yn Nhîm B. Doedd braidd neb arall yn Selador wedi treulio cymaint o amser yn ei chwmni. Byddai'n rhaid iddi ddod o hyd i Melangell Wyn, a dychwelyd y Cloc Tywod i Selador.

Cododd yn dawel a gwneud yn siŵr fod Gwydion yn cysgu. Estynnodd am botel laeth wag, a sgriblodd neges yn sydyn ar ddarn o bapur, a'i wthio'n ddwfn i wddw'r botel wydr. Agorodd gil y drws a gwneud yn siŵr nad oedd golau lamp y Ceidwad yn agos. Crwydrodd ei llygaid fel petai ei golwg yn hwylio'r tonnau bach nes dod o hyd i'r olygfa gyfarwydd honno. Gwelodd adlewyrchiad hardd y lleuad – dim ond un lleuad – yn y llun o'r llyn dieithr. Anelodd yn ofalus a thaflu'r botel nerth esgyrn ei braich tuag at y porth i'r byd prydferth. Diflannodd y botel i ddyfnderoedd môr Selador, i lawr at y porth ei hun. Ac o'r dyfnderoedd gwelodd Dyddgu gysgod yr hogyn penfelyn yn syllu mewn syndod ac yn codi'r botel o'r dŵr. Syllodd ar y bachgen a meddwl mor braf fyddai dilyn y botel i'r tir gwyrdd yn y llun...

2

Neidiodd Nico wrth i'r cloc larwm glochdar wrth ei glust. Tasgodd ei law yn drwsgl i gyfeiriad y sŵn, a theimlo'i fysedd yn taro'r metel oer. Disgynnodd y cloc ar y llawr pren, gan chwalu'n bedwar darn. Sbeciodd Nico a'i lygaid fel soseri dros ymyl y dwfe ar weddillion ei hen gloc Batman, a theimlodd ryw dristwch yn dod drosto. Anrheg gan ei dad oedd y cloc ar ei ben-blwydd, flynyddoedd yn ôl bellach.

'Nico! Be oedd y glec fawr 'na? Ti'n fyw?' gwaeddodd ei fam o waelod y grisiau.

'Yndw... y cloc... codi rŵan!' Cymysgodd Nico ei eiriau'n gysglyd. Yna, rowliodd yn ei ddwfe fel sosej rôl a llithro'n araf oddi ar erchwyn ei wely i'r llawr, ei ben yn gynta. Brwydrodd yr awydd i gau ei lygaid a chysgu ar y llawr caled. Ond roedd drafft oer yn dod o'r craciau llydan rhwng y planciau. Cododd o'r diwedd a chodi darnau'r cloc. Syllodd i lygaid Batman am eiliad, cyn ffarwelio'n dawel ag un o ffrindiau gorau ei blentyndod, a thaflu'r darnau i gyd i'r fasged sbwriel.

Treiddiodd arogl paent cryf i ffroenau Nico cyn iddo gerdded drwy ddrws y gegin. Roedd ei fam yn sefyll ar ben y bwrdd bwyd sigledig â brwsh paent yn ei llaw, yn ceisio cyrraedd y to. Roedd yn amlwg o'r holl sbloetshys lliw hufen yn ei gwallt ei bod wedi bod yn peintio ers oriau er nad oedd hi'n wyth y bore eto.

'Haia, Mam. Paned?' holodd Nico, gan esgus fod

peintio waliau'r bwthyn yn oriau mân y bore yn gwbwl normal.

'Plis, cyw,' atebodd hithau, a golwg canolbwyntio mawr ar ei hwyneb llwyd wrth iddi drio ymestyn ei choesau byrion i stwffio paent i gorneli cam cegin yr hen dyddyn.

'Be ti'n neud yn codi mor fuan? A be oedd y glec fawr 'na?' Oedodd Awen, ei fam, am eiliad, i roi hoe i'w braich.

'Mae'r ysgol yn dechrau eto heddiw, dydi? Ges i ffeit efo'r cloc larwm!'

'Y cloc gest ti gan dy dad ar dy ben-blwydd 'stalwm?'

Disgynnodd wal anghyfforddus o dawelwch rhwng y ddau a throdd Nico ei gefn i baratoi'r tebot. Anwybyddodd gwestiwn ei fam.

'Fydda i'm angen lifft. Mi feicia i i lawr at y ffordd a dal y bws.'

Ochneidiodd Awen ac ailgydio yn y peintio gydag angerdd. Allai Nico ddim dychmygu o ble y câi ei holl egni. Roedd y misoedd diwethaf, ers gadael ei dad yn eu cartre ar Riw'r Coleg, wedi ei chreithio. Roedd hi wedi teneuo a gwywo fel brwynen, a gwelodd fod blinder wedi crebachu ei hwyneb.

'Ocê, cyw. Cofia ffonio os ti angen i mi ddod i dy nôl di o rywle.'

Roedd Nico ar fin ei hatgoffa nad oedd ffôn yn y tyddyn bach, na signal ffôn symudol chwaith, ond brathodd ei dafod ac estyn paned i'w fam gyda gwên drist. Gwenodd hithau yn ôl yn dyner. Roedd ei fam yn gwneud ei gorau glas.

Neidiodd Nico ar ei feic a gwibio ar hyd y llwybr caregog a'r gwynt yn ei wallt a'i siwmper ysgol las am ei ganol. Gallai weld y bws ysgol yn dod linc-di-lonc ar hyd y ffordd fawr. Cyflymodd ei bedlo a rasio ochor yn ochor â'r bws am ychydig, a'r gwrych yn eu gwahanu, cyn i'r bws ddiflannu heibio cornel u-bedol fawr. Yna, sgrialodd Nico i stop gyda gwich brêcs rhydlyd a thaflu'r beic yn ddiseremoni i wrych cyfagos. Neidiodd dros y glwyd a llwyddo i gyrraedd ochor y ffordd ymhell cyn y bws. Stopiodd hwnnw'n anfoddog.

Nodiodd Eryl, y gyrrwr bws blêr ar Nico, heb wên. Roedd Eryl yn casáu colli ras. Giglodd y merched yn nhu blaen y bws ysgol wrth i Nico eu pasio am y sêt gefn. Roedd ei fop o wallt cyrliog golau bron â chyffwrdd y to, ei fochau'n goch ar ôl y ras a'i groen yn disgleirio'n aur ar ôl treulio oriau dros yr haf yn taclo'r ardd yn Nhyddyn Garw.

'Iawn, Nic?' meddai Guto, a'i lygaid yn methu'n lân ag edrych i fyw llygaid ei ffrind gorau.

'Iawn, rhech?' atebodd Nico, gan eistedd yn y sedd ganol yng nghefn y bws. 'Iawn, bois? Gwylie haf neis?' holodd weddill y criw.

'Ie, iawn,' mwmialodd pawb yn un côr. Soniodd neb yr un gair nad oedd Nico'n arfer dod ar y bws ysgol. Ddywedodd neb air chwaith wrth i'r bws rowlio i lawr Rhiw'r Coleg heibio Henfaes, hen gartre moethus Nico. Dim ond pesychu mewn embaras ac edrych ar y to.

Sleifiodd Nico i'r sedd wrth ymyl Magi a rhoi sws swil ar ei boch. Doedd heb ei gweld ers dyddiau ac roedd yn ysu am gael siarad â hi.

'Haia, Mags! Ti'n iawn?'

'TAWELWCH!' bloeddiodd Mr Davies y prifathro o lwyfan y neuadd fawr. Roedd yn gas gan bawb y gwasanaeth boreol, a phawb ar dân heddiw eisiau trafod y gwyliau. Ond roedd gan y prifathro'r gallu i orfodi *pawb* i wrando arno. Roedd mor dal a llydan â ffrâm drws ac roedd rhywbeth tebyg i frenin y lindys duon wedi ymgartrefu dan ei drwyn. Roedd ei lygaid mor dreiddgar nes i Nico amau sawl gwaith fod ganddo lygaid pelydr-x. Byddai hynny hefyd yn esbonio pam ei fod yn ffrwydro drwy ddrysau'r stafelloedd dosbarth wrth i Guto daflu awyren bapur at ben ôl Mrs Huws neu'r union eiliad pan fyddai Sara'n anelu bonclust i gyfeiriad Trystan.

'Bore da,' cychwynnodd Mr Davies yn bwyllog yn ei lais dwfn. 'Gobeithio'ch bod chi 'di mwynhau'r gwyliau. Croeso arbennig i chi, ddisgyblion Blwyddyn 7. Peidiwch oedi cyn holi unrhyw beth i'r disgyblion hŷn – mae pawb yn gyfeillgar iawn yn yr ysgol yma, pawb yn ffrindiau. Ac i bawb arall, croeso 'nôl i chithau hefyd.'

Sylwodd Nico, heibio i ben y prifathro, fod cloc y neuadd wedi stopio ac am ryw reswm daliodd hyn ei sylw. Roedd y cloc yn nodi ei bod hi'n ddau o'r gloch. Pam oedd hynny'n swnio'n gyfarwydd?

Syllodd drwy gornel ei lygaid ar ei gariad a'i gwallt melyn syth a'i gwisg ysgol anghyffredin o dwt. Roedd wedi gweld ei cholli dros wyliau'r haf. Ers symud i Dyddyn Garw, doedd picio i'w gweld ddim mor hawdd bellach, ac yntau wedi arfer croesi'r ffordd ar Riw'r Coleg i ddweud helô bron bob prynhawn ar ôl ysgol. Sylwodd fod Magi'n canolbwyntio'n galed ar yr hyn roedd gan Mr Davies i'w ddweud, ac yn syllu'n gwbwl lonydd tua'r llwyfan. A dweud y gwir, sylwodd fod golwg eitha ofnus ar ei hwyneb bellach a bod ei llygaid fel lleuadau. Teimlodd ei llaw'n gwasgu ei law yntau'n dynnach bob eiliad, a dyna pryd y trodd Nico i wynebu'r llwyfan.

'Rŵan, i gychwyn blwyddyn academaidd arall yn y modd gorau posib, hoffwn groesawu gwestai, D.I. Wyn, i'r llwyfan i ddweud gair.'

Gwichiodd Magi a sylwodd Nico ei fod wedi gwasgu ei llaw yn ôl fel gefail. *D.I. Wyn!* Teimlodd ei fochau'n gwrido a'i galon yn dechrau curo'n drwm. Syllodd ar y ddynes smart ar y llwyfan a'i gwallt coch llachar yn disgyn yn donnau ardderchog dros ysgwyddau ei hiwnifform. Roedd ganddi finlliw lliw mefus, a cholur a wnâi i'w llygaid edrych fel rhai panda.

'Bore da, bawb!' meddai yn ei llais taffi triog. Dechreuodd Nico deimlo'n sâl.

'Croeso 'nôl i'r ysgol! Y rheswm dwi yma ar ddechrau'r tymor ydi i siarad efo chi i gyd am fwlio. Neu, yn fwy penodol, taclo bwlio...'

Bu bron i Nico godi ar ei draed a gweiddi dros y neuadd ar y trychfil ar y llwyfan. Pa hawl oedd gan hon i bregethu am fwlio? Gollyngodd law Magi rhag ei brifo a chau ei ddyrnau'n dynn, dynn.

Caeodd ei lygaid a cheisio cau ei glustiau i'r byd, a theimlodd ei hun yn suddo i ganol ei feddyliau ymhell o'r neuadd a'r ysgol. Dychmygodd ei fod ar lan Llyn Celyn dan flanced o sêr. Canolbwyntiodd ar sŵn y tonnau bach yn llyfu'r glannau a gwrandawodd yn astud, astud. Pwy oedd eisiau cwrdd ag o am ddau o'r gloch y bore? Gwrandawodd yn ofalus eto am sŵn traed, ac o bell clywodd lais fel petai'n dod o dan y dŵr,

'... diolch am wrando.'

Caeodd ei lygaid yn dynnach a cheisio aros ar lan y llyn am eiliad arall i weld pwy oedd piau'r sŵn traed. Roedd clapio dwylo llond neuadd o blant yn daranau yng nghlustiau Nico bellach, a theimlodd ei hun yn cael ei dynnu yn ôl i'r presennol. Agorodd ei lygaid a gwelodd fod D.I. Wyn yn syllu'n syth tuag ato.

Diflannodd llun y llyn yn ara deg, ond tybiodd iddo

glywed llais gwan yn sibrwd 'Dau o'r gloch' cyn i'r ddelwedd ddiflannu i lawr plwg ei gof fel dŵr budr y bàth.

'Be sy'n digwydd am ddau o'r gloch?' holodd.

'Dau o'r gloch? Nico, ti'n iawn?' meddai Magi, a golwg boenus ar ei hwyneb.

Cododd pawb ac anelu am eu dosbarthiadau. Ymunodd Nico â'r llif o gyrff, gan deimlo ei fod mewn breuddwyd. Roedd ei ddwylo'n dal yn ddyrnau tyn. Teimlodd law Magi'n ymbalfalu am ei law yn annwyl.

'Yndw, siŵr.' Llwyddodd Nico i wenu yn ôl. Roedd yn berwi ar y tu mewn, ond roedd ei ffrindiau gorau i gyd o'i amgylch, felly dechreuodd ymlacio. Byddai'n rhaid iddo geisio cychwyn o'r newydd a hithau'n dymor newydd. Dim mwy o gasineb. Anadlodd yn drwm a dechrau dod ato'i hun. Sylwodd Nico fod ei ffrindiau'n piffian chwerthin yn dawel ac yn sibrwd ymysg ei gilydd.

'Be? Be sy?' gofynnodd Nico, yn eiddgar i gael rhannu'r jôc. Atebodd neb yn syth, dim ond dal i chwerthin yn ddistaw.

'Be?' gofynnodd Nico eto. Gwelodd Guto ei gyfle i ddangos ei hun o flaen Magi a'r criw o fechgyn.

'Dy dad oedd wedi anfon D.I. Wyn i'r ysgol i neud yn siŵr bod ti'n bihafio, mae'n siŵr, ie?'

Allai'r hogiau ddim dal yn ôl bellach, a chwarddodd pawb dros y lle. Roedd Guto wrth ei fodd â'r sylw.

'Mae D.I Wyn yn beth smart 'fyd! Does ryfedd fod dy dad...'

Ond cyn i Guto orffen ei frawddeg faleisus, fe neidiodd Nico amdano â'i ddwrn chwith a'i daro'n fflat i'r llawr.

'Ty'd laen, Guto! Paffia 'nôl!' gwaeddodd y bechgyn o'u cwmpas, wedi'u cyffroi'n lân. Ond doedd dim angen iddynt ei annog, roedd Guto eisoes wedi dechrau dyrnu Nico, a chyn pen dim roedd y ddau'n rowlio ar lawr a gwaed yn diferu o'u trwynau.

'Nico! Rho'r gorau iddi!' sgrechiodd Magi ar dop ei llais, a hithau byth bron yn cynhyrfu.

'Dyna ddigon,' meddai llais dwfn cyferbyniol, a daeth breichiau jac codi baw i godi'r ddau ar eu traed gerfydd eu coleri.

Roedd aros am ffrae yn llawer gwaeth na'r ffrae ei hun yn aml iawn, a theimlai Nico'r tensiwn fel llafn cyllell finiog yn cael ei dal wrth ei gorn gwddw. Eisteddai wrth ddesg y prifathro yn ceisio hel trefn ar ei esgusodion. Neidiodd wrth glywed y drws yn cau'n glep y tu ôl iddo, a thynhaodd ei gyhyrau a pharatoi ei hun am floedd Mr Davies ar ei war. Crynodd y ddaear wrth i'r prifathro fartsio tua'i gadair, a disgyn yn drwm i'r siâp pen ôl yn y sedd ledr. Anadlodd Mr Davies yn drwm a chiledrychodd Nico arno drwy lygaid hanner agored, ac yna agorodd y prifathro ei geg,

'Mae'n wir, wir ddrwg gen i, Nico.'

Agorodd Nico ei lygaid a llacio ei gyhyrau mewn syndod.

'Sori?' gofynnodd Nico mewn penbleth.

'Mae'n ddrwg gen i am bore 'ma, am wahodd D.I. Wyn i'r ysgol. Do'n i ddim yn ymwybodol... mae'n rhaid ei fod o 'di bod yn sioc i ti.'

Nodiodd Nico.

'Ond, er hynny, does 'na'm byd yn cyfiawnhau ymladd yn y coridor. Felly, mae'n rhaid i mi wneud esiampl ohonot ti a dy yrru di adre am weddill y dydd. Mae Guto ar ei ffordd adre'n barod. Dwi 'di methu â chael gafael ar dy fam ar y ffôn. Ddylwn i drio ffôn dy dad?'

'NA!' gwaeddodd Nico, cyn sylweddoli ei fod wedi gweiddi ar y prifathro. 'Sori! Na. Na, dim diolch. Mi gerdda i at Taid a Nain.'

'Iawn. Gwna'n siŵr dy fod di'n mynd yn syth yno. Dim dili-dalio. Wela i di fory.'

Ar ei ffordd drwy'r drws, edrychodd Nico dros ei ysgwydd ar y prifathro. Doedd o ddim yn edrych mor frawychus bellach.

Llusgodd Nico ei draed i fyny Rhiw'r Coleg tuag at gartre henoed Bron y Graig. Ceisiodd beidio edrych draw am Henfaes, ei hen gartre, ond cymerodd ei isymwybod gip sydyn, a thybiodd iddo weld y llenni'n symud, a fflach o wallt coch yn chwyrlïo o'r golwg.

Eisteddai ei daid a'i nain wrth y ffenest fawr yn edrych allan. Edrychai'r ddau fel corachod gardd bychain, yn llonydd ac yn ddedwydd eu byd.

'Haia, Taid!' meddai Nico, a gwelodd wyneb ei daid yn goleuo. 'Helô 'na, Nain,' meddai, ychydig yn uwch.

'Wel helô 'na, fachgen! Sbia, Margied, pwy sy wedi dod i'n gweld ni!' Cododd Taid ar ei draed yn fusgrell a gafael mewn cadair gyfagos a'i thynnu tuag atynt.

'Pwy?' gwaeddodd Nain. 'Sut?'

'Nico! Mae Nico wedi dod i'n gweld ni, Margied!'

Edrychodd Nain drwy'r ffenest ar y bwrdd adar, a golwg bell i ffwrdd ar ei hwyneb crychiog.

'Nico bach? Ydi o'n ffrindia efo'r hen ditw tomos las 'na d'wed, Twm?'

Estynnodd Nain ei llaw i mewn i'r brat glas y mynnai ei wisgo bob dydd, a thynnu dyrnaid o gnau mân o'r boced.

'Nico, bachgen Awen! Sbia! Duda helô!'

'Sut dach chi, Nain? I'r adar mae'r cnau?'

'Llnau? Llnau ddudist ti, fachgen? Does 'na'm disgwyl i mi neud llawer o ddim efo'r cricymala 'ma. Mae'n hen bryd i chi ddynion ddysgu sut i iwsho'r Dyson, yr hen gnafon i chi!'

Ysgydwodd Taid ei ben yn anobeithiol, ond roedd gwên fawr ar ei wyneb.

'Sut mae dy fam?'

Tro Nico oedd hi i ysgwyd ei ben yn anobeithiol y tro hwn.

'Ddim yn aros yn llonydd am eiliad i feddwl am ddim, Taid. Ond mae'r tyddyn yn altro bob diwrnod! 'Sech chi a Nain ddim yn nabod y lle bellach! Côt newydd o baent, chydig o styllod llawr newydd. Dwi 'di bod yn garddio hefyd. Mae gen i gae braf yn barod i blannu llysiau. Mi fydd yn rhaid i chi alw draw'n fuan.'

Cytunodd Taid, gan ysgwyd ei ben yn llawen.

'Taid, na'th unrhyw beth... rhyfedd ddigwydd i chi pan oeddech chi'n byw yn Nhyddyn Garw? Welsoch chi unrhyw beth yn y llyn rioed?'

'Wel, y peth rhyfedda ddigwyddodd i mi rioed oedd pan foddwyd yr hen bentre i'w droi'n llyn yn y lle cynta, Nico bach. Mi ges i'm magu â golygfa braf o bentre Capel Celyn drwy'r ffenest. Ro'n i'n gallu gweld fan y postman yn neidio fel iâr glwc ar hyd lonydd y pentre nes cyrraedd llidiart Tyddyn Garw. Ar ddiwrnod clir, mi allwn i glywed chwerthin y plant ar lan yr afon lle fydden nhw'n adeiladu ffordd i'r ochor draw efo cerrig camu. Dyddiau da ...'

'Ond yna, daeth y tractors mawr, do, Taid?'

'Do, Nico bach, a'r gweithwyr dieithr, ac mi ddiflannodd y cwbwl dan ddŵr. Ddois i fyth i arfer efo'r llyn mawr ddaeth yn lle'r hen bentre. Roedd y tyddyn yn teimlo fel 'tae o wedi cael ei adael ar ôl, rywsut. Ac w'st ti'r peth rhyfeddaf un? Wrth i mi fynd yn hŷn mi allwn i daeru y gallwn i weld yr hen bentre yn lliwgar i gyd o dan y dŵr.

'Dyma fi'n paldaruo eto. Mi allwn i siarad am yr hen ddyddiau hyd ddydd y farn, Nico bach. Maddeua i hen ddyn fel fi, mae cael gafael ar unrhyw un i wrando yn brin yn y lle 'ma! Mae gweddill yr hen bobol yma'n syrthio i gysgu neu'n rhechen yn uchel ac yn torri ar lif y stori.'

Chwarddodd Nico. Doedd dim ots o gwbwl ganddo yntau wrando. Gallai eistedd am oriau'n gwrando ar straeon ei daid am bentre Capel Celyn. Roedd rhywbeth anhygoel am ddychmygu pentre cyfan nad oedd yn bodoli bellach, dim ond mewn lluniau ac atgofion hen bobol. Sylwodd fod Nain yn mwynhau gwrando ar lais Taid yn adrodd stori hefyd – roedd hi'n hepian cysgu bellach yn ei chadair a golwg fodlon ar ei hwyneb.

'Ddois i o hyd i botel yn y llyn, Taid. Ac roedd 'na neges ynddi a… wel, roedd hi'n neges go od....'

Edrychodd Taid ar Nico mewn penbleth, a disgynnodd tawelwch rhwng y tri. Yna, meddai Nain, heb agor ei llygaid, fel petai'n siarad yn ei chwsg,

'Y D.I. Wyn 'na sy'n chwara triciau arnon ni i gyd. Mae hi wedi dod o blaned arall i greu hafoc!'

Chwarddodd Nico a Taid, a thorrodd hynny'r ias yn syth.

'Bydda'n ofalus, Nico,' meddai Taid wedi i'r ddau stopio chwerthin, a gallai Nico weld heibio'r olwg glên yn llygaid ei daid ei fod o ddifri.

3

'Golau'n barod, camera'n barod, ewch!' gwaeddodd llais cudd y cynhyrchydd ffilm o du ôl i offer ffilmio yng nghornel Neuadd y Pennaeth yn y Deml Dywod.

Eisteddai Pennaeth Selador fel brenin ar orsedd yn ei neuadd foethus ac, fel arfer, roedd ei Gyngor yn eistedd o'i boptu mewn siap hanner cylch yn wynebu'r gofod mawr o'u blaen. Ysgrifennydd oedd un, yn cofnodi pob gair a ddeuai o geg y Pennaeth. Darlunydd oedd un arall, yn cofnodi popeth a welai mewn dwdls blêr. Ymddangosai mai'r cwbwl a wnâi un arall oedd smocio sigârs drud drwy'r dydd er nad oedd yn amlwg i neb a wyliai'r rhaglen beth oedd pwrpas hynny. Ond roedd y gŵr yn edrych yn bwysig ac roedd hynny'n ddigon derbyniol. Roedd y desgiau o flaen y Cyngor yn frith o fapiau, cwmpawdau a chardiau post, ac roedd ffonau o bob lliw a llun yn gwichian negeseuon aneglur bob dau funud. Dyma'r bobol leia prysur, ond prysuraf yr olwg, a welwyd erioed yn Selador.

Safai Dyddgu Dwyfor yn gefnsyth yng nghanol y stafell yn paratoi am 'Take 2' o geisio dadlau ei hachos o flaen y Cyngor, y Pennaeth a'r camera teledu. Roedd golau pwerus y criw camera'n brifo ei llygaid ac yn gwneud iddi deimlo'n anesmwyth. Roedd dangos rhaglen ddogfen wythnosol am anturiaethau'r Gwylwyr yn hen draddodiad ond doedd Dyddgu ddim yn cytuno fod parhau â'r rhaglenni hyn yn syniad da dan yr amgylchiadau. Ond doedd dim dewis ganddi ond ufuddhau i'r Pennaeth a phledio ei hachos o flaen y camerâu.

'Syr, mae'n wir ddrwg gen i am fod allan o'r tŷ wedi hanner nos, ond ro'n i'n meddwl 'mod i wedi gweld rhywbeth yn y môr...'

'Wel do, gobeithio!' gwaeddodd y Pennaeth, a darnau bach o'r grawnwin yr oedd wrthi'n eu bwyta'n cael eu poeri i bob cyfeiriad. 'Onid dyna ydi dy waith di, ferch? Rwyt ti'n un o'r Gwylwyr! Yn cael dy gyflogi i *chwilio* am bethau yn y môr!'

Edrychodd Cyngor y Pennaeth i gyfeiriad y camerâu a chwerthin dros y lle ar ei ymgais i fod yn ffraeth.

'Wel, dwi wedi gweld rhywle... byd gwyrdd a bryniau... a, wel mae 'na *botensial*...' dechreuodd Dyddgu ateb yn betrus.

'Be? Wyt ti'n ceisio dweud dy fod di'n gwybod i ble mae Melangell Wyn wedi mynd?' cyhuddodd y Pennaeth, yn gwybod yn iawn y byddai'n cael ymateb gwerth chweil.

'Na!' gwaeddodd Dyddgu gan frwydro yn erbyn bonllefau cynhyrfus y Cyngor.

'Wyt ti'n rhan o'i chynllun hi? Efallai dy fod wedi bod yn rhan o'r cynllun mawr ers y cychwyn!'

'Mae'n rhaid i ni ei gwahardd hi!' gwaeddodd un gŵr o'r tu ôl i sgrin deledu.

'Mae'n rhaid gwahardd pawb o Dîm B!' gwaeddodd un arall.

'Mae'n rhaid cael gwared arnyn nhw!' gwaeddodd pawb fel haid o gŵn gwyllt.

Safodd Dyddgu'n llonydd. A syllodd yn heriol i lygad y camera.

'TAWELWCH!' gwaeddodd y Pennaeth dros y neuadd. 'Fyddai dim byd yn rhoi mwy o bleser i mi na thaflu'r ferch anystywallt yma a'i thîm o'r Deml!'

'Hwrê!' gwaeddodd y Cyngor yn un côr. Teimlodd Dyddgu banig yn bygwth yr olwg heddychlon ar ei hwyneb.

'Ond, yn anffodus, mae angen pob un Gwyliwr posib arnon ni i ddod o hyd i'r Cloc Tywod. Felly, bydd yn rhaid i ni eu diodde nhw am y tro. Ond peidied neb â phoeni – dwi'n cadw llygad barcud ar Dîm B. Rŵan, ferch, paid â meiddio gadael i ni dy weld di allan ar ôl hanner nos eto, dallt?'

'Dallt, syr,' atebodd Dyddgu.

'Iawn. I ffwrdd â ti. Dydw i ddim isio dy weld di yma eto.'

Amneidiodd Dyddgu a throi i adael. Clywodd lais y Pennaeth y tu ôl iddi yn annerch y camera.

'Rydw i wedi penderfynu bod angen hyfforddi mwy o Wylwyr. Mae hi'n argyfwng cenedlaethol. Mi fydda i'n rhyddhau cyhoeddiad yn hwyrach y prynhawn 'ma yn datgan fy mod yn rhoi caniatâd arbennig i bawb sydd yn bymtheg oed, neu'n hŷn wrth gwrs, i ymuno â chynllun hyfforddi'r Gwylwyr.'

Teimlodd Dyddgu'r newyddion yn ei tharo yn ei chefn fel dwrn. Trodd ar ei sawdl a gweiddi dros y neuadd.

'Be? Na! Fedrwch chi ddim!'

Chwarddodd y Cyngor cyfan. A chlywodd Dyddgu sŵn gwichian lens y camera yn closio at ei hwyneb i gofnodi'r ddrama. Teimlai fel rhedeg am y peiriant a'i gicio i'r llawr.

'Ofn colli dy waith wyt ti? Dwi'n siŵr na chymrith hi lawer o amser i ni ddod o hyd i Dîm B newydd sbon, un sydd ddim mewn perygl o'n bradychu ni i gyd! Rŵan, dos yn ôl at dy dîm. Ewch ati i chwilio am y Cloc Tywod. A rhybuddia nhw 'mod i'n gwylio pob cam!'

'*Cut!*' gwaeddodd y cynhyrchydd ffilm.

Cerddodd Dyddgu o'r neuadd a'i gwaed yn corddi. Anwybyddwyd ei hymgais i esbonio wrth y Pennaeth am fyd y bachgen penfelyn. Roedd y sefyllfa yn ei dwylo hi'n llwyr bellach.

Saethodd Gwylwyr Tîm B allan o'r dŵr bob yn un fel bwledi a glanio, ddeg eiliad yn ddiweddarach, yn bedwar sblash swnllyd yn y môr y tu allan i'r Deml Dywod. Anadlodd Dyddgu aer cyfarwydd Selador yn ddwfn i'w hysgyfaint. Ar ôl treulio diwrnod cyfan ar ryw blaned a oedd yn drewi o arogl wy roedd hi'n braf bod adre. Nofiodd i'r lan o'r môr, a'r porth i'r bydoedd eraill. Gwelodd y ddau leuad yn ymlusgo o'u gwelyau i gwrdd yn eu safle nosweithiol yn yr awyr. Roedd golwg ddiegni arnynt hwythau hefyd, meddyliodd Dyddgu.

Tybed a oedd hyd yn oed y ddau leuad yn gweld colli egni'r Cloc Tywod?

Galwodd Huwi, Arweinydd Tîm B bawb ynghyd. Sylwodd Dyddgu fod ei wyneb golygus yn dechrau heneiddio, a'i wallt byr yn dechrau britho o amgylch ei glustiau. Tybed ai'r bygythiad o fynd yn hen a welodd Melangell Wyn? Huwi oedd Gwyliwr mwyaf poblogaidd Selador unwaith, a dilyn ei hynt a'i helyntion ar y teledu a ysgogodd Dyddgu i ymuno â nhw yn y lle cynta. Roedd ganddi bosteri ohono a Melangell Wyn yn dal i fod rhywle yn y tŷ. Roedd y ddau'n gwneud tîm ardderchog – Huwi a Melangell Wyn – heb sôn am edrych yn wych fel pâr ar y teledu. Roedd stori eu rhamant yn anhygoel, ond pwy a ŵyr ai stynt teledu oedd hynny ai peidio. Roedd digwyddiadau'r bore hwnnw yn Neuadd y Pennaeth wedi gwneud i Dyddgu sylweddoli na ddylai gredu popeth a welai ar y teledu.

'Pawb i fod yn wyliadwrus heno 'ma, iawn? Mae'r Pennaeth yn debyg o wneud hwyl am ein pennau ni eto am ddod yn ôl yn waglaw – mae hynny i'w ddisgwyl. Ni yw'r cocyn hitio. Mae'r cyhoedd yn mwynhau gweld y Pennaeth yn ein ceryddu ni, ac mae hwnnw'n gwybod hynny. Dydw i ddim eisiau tynnu sylw drwy gychwyn dadl, dallt, bawb? Osgoi edrych ar y camerâu. Pennau i lawr. Iawn, Dyddgu?'

'Iawn!' atebodd hithau'n gyndyn. Nid dyma'r Huwi roedd hi'n ei adnabod ac wedi ei edmygu ers pan oedd yn blentyn. Dyma un o'r Gwylwyr dewra ac enwoca i droedio Selador erioed. Fyddai Huwi ddim wedi meddwl eilwaith am herio'r Pennaeth o flaen y camerâu o'r blaen, yn enwedig pan wyddai i sicrwydd mai fo oedd yn iawn. Ond roedd pethau wedi newid. Tybed oedd arno hiraeth am Melangell Wyn? Neu ai effaith diflaniad y Cloc Tywod oedd wedi ei drechu?

Yn ôl eu harfer, roedd y ddau Sam, dau aelod arall o Dîm B, yn dawel. Er nad oedd y ddau'n perthyn, edrychai'r naill a'r llall yn debyg iawn i'w gilydd. Roedd Samantha'n bwten fechan â gwallt cwta yr un lliw a siap â phlisgyn cneuen. Fe atgoffai hi Dyddgu o aderyn bach oherwydd ei bod mor ysgafn droed – gallai ddiflannu o'r golwg mewn chwinciad pe byddai perygl. Câi Dyddgu ei hatgoffa o wiwer fach pan welai Samuel wedyn. Gallai guddio mewn mannau cyfyng pan fyddai angen ac roedd golwg syn ar ei wyneb crwn o fore gwyn tan nos. Doedd yr un o'r ddau yn dweud llawer, gan fodloni ar adael i bawb arall arwain, er eu bod sawl blwyddyn yn hŷn na Dyddgu.

Canodd corn ymgynnull y Gwylwyr, a throdd y pedwar am y Deml Dywod ar gyfer y cyfarfod nosweithiol ar ôl diwrnod o deithio a chwilio.

Cyrhaeddodd Tîm B y neuadd a sefyll yn llonydd yn eu rhes, a'r bwlch lle'r arferai Melangell Wyn sefyll yn boenus o amlwg.

Safai Dyddgu'n llonydd a theimlo gwres anadl rhywun ar ei gwar. Roedd ei choesau'n gwegian. Edrychodd dros ei ysgwydd a theimlo ias oer yn meddiannu ei chorff i gyd. Roedd dau fwlch yn un o'r rhesi y tu ôl iddi. Esboniai hyn pam nad oedd y criw camera yn poeni Tîm B heddiw. Roedd rhywbeth wedi digwydd. Teimlodd anesmwythyd yn cymylu'r awyr fel niwl wrth i bawb o'i chwmpas sylwi ar y bwlch.

Ffrwydrodd y Cyngor drwy'r drws a'r Pennaeth, ben ac ysgwydd yn dalach na phawb arall ar eu holau, a'i fwstásh yn crynu.

'TAWELWCH!' bloeddiodd ar y neuadd dawel, a dechrau ar ei rigamarôl dyddiol.

'Tîm A?'

'Pawb yn bresennol, syr. Dim lwc...'

Roedd y tawelwch yn boenus, felly brysiodd Arweinydd Tîm A i ychwanegu, 'Ond fe ddaethon ni o hyd i ffynhonnell ardderchog o gopr – darganfyddiad syfrdanol! Ym... i'w gofio ar gyfer y dyfodol, efallai...'

'DYDAN NI DDIM YN CHWILIO AM GOPR, Tîm A! Does neb i chwilio am ddim byd arall nes y byddwn ni'n dod o hyd i'r Cloc Tywod ac yn ei ddychwelyd i'w fan pwrpasol yn y Deml Dywod. Deall?'

Edrychodd y Pennaeth ar y camerâu a rhoi golwg fygythiol, ddifrifol i'r gwylwyr adre.

'Tîm B?' holodd y Pennaeth. A chlywodd Dyddgu'r murmur arferol yn lledaenu drwy'r neuadd. A chlywodd sŵn peiriannol y camera'n gwibio i mewn yn agosach arnynt.

'Pawb yma. Dim byd i'w adrodd.' Safodd Huwi'n dal ac yn ddewr ac edrych i fyw llygaid y Pennaeth.

'Siomedig iawn, Tîm B. Unrhyw beth arall i'w ychwanegu?'

'Dim byd i'w ychwanegu, syr.'

Daliodd pawb eu hanadl, yn disgwyl helynt. Ond digwyddodd dim.

'Tîm C?'

'Dim newyddion, syr.'

'Tîm Ch?'

Pesychodd ambell un, o gyrraedd y rhes â'r bylchau anesboniadwy ynddi.

'Dau Wyliwr ar goll, syr. Mi deithion ni i dir peryglus iawn... allen ni ddim fod wedi dyfalu... Cawson ni'n gwahanu ar ôl cael ein dilyn gan haid o fwystfilod gwyllt. Ar ôl cuddio am sbel aethon ni'n ôl i chwilio, ond heb lwc... Does dim golwg ohonyn nhw.'

Anadlodd y Pennaeth yn drwm a chau ei lygaid yn dynn am funud cyfan. Meddyliodd Dyddgu am Gwydion. Allai hi ddim gadael iddo ymuno â'r Gwylwyr. Edrychodd o'i chwmpas. Roedd pawb wedi blino'n lân ac ambell un yn pwyso ar ei gilydd, a rhai'n eistedd ar y llawr wedi llwyr ymlâdd. Agorodd y Pennaeth ei lygaid.

'Tîm D?...'

Cadarnhawyd ofnau penna Dyddgu wrth ddringo'r ysgol i'w chartre'r noson honno. Gallai glywed llais cynhyrfus Gwydion yn brolio'r newyddion da wrth eu mam o'r gwaelod.

'Dyddgu! Dwi'n cael ymuno! Dwi'n mynd am gyfweliad efo'r Gwylwyr fory!'

'Nac wyt, ti ddim, Gwydion. Ti'n rhy ifanc, a dwi 'di deud o'r blaen fod rhaid i un ohonon ni aros yma, yn ddiogel, i edrych ar ôl Mam.'

'Ond ti mond ddwy flynedd yn hŷn na fi! 'Di hyn ddim yn deg!' dechreuodd Gwydion brotestio ond tawelodd pan welodd yr olwg ddifrifol ar wyneb ei chwaer.

'Stopiwch ffraeo, chi'ch dau! Hen lol gwirion! A be 'di'r nonsens 'ma am edrych ar f'ôl i? Dwi'n ddigon tebol i edrych ar f'ôl fy hun – 'nes i fagu'r ddau ohonoch chi ar ben fy hun, yn do? Rŵan, ewch i neud swper i mi reit handi!'

Dechreuodd Doti Dwyfor besychu'n gas ar ôl dwrdio cymaint ac aeth i orffwys ar ei gwely. Fel pob person hŷn, roedd absenoldeb y Cloc Tywod yn effeithio'n gynt arni hi nag ar bobol ifanc. Ochneidiodd Dyddgu. Gwyddai fod Gwydion yr un mor styfnig â hi a'i mam, ac y byddai'n siŵr o ymuno â'r Gwylwyr yn hwyr neu'n hwyrach.

Trodd ei chefn ar y ddau ac aeth i eistedd y tu allan, wedi pwdu. Eisteddodd yno am sbel yn gwylio'r llanw'n carlamu i mewn yn anhygoel o gyflym, nes dringo hyd at hanner uchder yr ysgol grog. Syllodd draw at lle dylai'r bachgen pryd golau fod yn siarad â'r llyn. Ond doedd dim golwg ohono heno. Edrychodd ar ei horiawr. Wyth o'r gloch. Gwnaeth ei syms yn gyflym. Roedd ganddi chwe awr i benderfynu a oedd hi am fentro ai peidio. Ystyriodd ei hopsiynau'n ofalus. Gwyddai fod crwydro i fydoedd heb dîm, a heb ganiatâd y Pennaeth, yn drosedd ddifrifol. Ond edrychodd o'i chwmpas ar Selador.

Moesymgrymai'r coed noeth a arferai fod yn farchnad brysur, naturiol o ffrwythau blasus. Diflannodd yr hen ddynion a arferai lenwi'r aer â sŵn tynnu coes wrth herio ei gilydd dros gêm o gardiau. Ac edrychodd Dyddgu i'r awyr, a sylwodd fod y sglefrod a hedfanai uwch ei phen yn goleuo'n llachar fel lliwiau disgo, bron â bod yn dryloyw bellach. Edrychai Selador mor ddigalon. Roedd yn rhaid dod o hyd i'r Cloc Tywod, ac roedd yn rhaid iddi ddod o hyd i Melangell Wyn ar ei phen ei hun cyn i bethau fynd yn rhy hwyr. Syllodd a syllodd i'r dŵr, nes i'w llygaid drymhau.

Rywbryd, teimlodd rywun yn ceisio ei deffro a'i chario i'r tŷ cyn gosod blanced drosti'n dyner.

Deffrodd Dyddgu'n sydyn. Oedd hi'n hwyr i'r gwaith? Na, roedd hi'n dal yn dywyll fel gwaelod y môr. Edrychodd ar ei horiawr. Hanner awr wedi un y bore. Roedd rhywbeth yn ei hisymwybod wedi ei deffro. Ystyriodd fynd yn ôl i gysgu ac anghofio'r holl beth ond clywodd anadl llafurus ei mam wrth iddi hi gysgu. Roedd ei chyflwr yn gwaethygu. Cofiodd beth roedd yn rhaid iddi ei wneud.

Cododd ar ei thraed yn dawel, dawel a cherdded allan. Fentrai hi ddim chwilio am unrhyw beth i fynd gyda hi. Caeodd y drws ar ei hôl heb smic a dringo i

lawr yr ysgol grog. Edrychodd ar y dŵr yn ofalus a dod
o hyd i'r llun o'r bryniau gwyrddion hardd o amgylch
y llyn. Yna, cymerodd lond ei hysgyfaint o aer a neidio
i'r dyfnderoedd.

4

Agorodd llygaid Nico ar amrantiad. Diflannodd ei freuddwyd i rywle, fel cwningen yn diflannu i dwll. Roedd rhywbeth wedi ei ddeffro ond doedd dim smic i'w glywed, ac roedd yn gorwedd mewn tywyllwch llwyr. Ceisiodd gau ei lygaid eto. Ond roedd mor effro â'r gog. Ymbalfalodd am y cloc larwm, cyn cofio ei fod wedi torri. Estynnodd am ei ffôn symudol. Doedd dim signal ond goleuodd y sgrin i ddangos yr amser – 01.50. Cododd ar ei draed gan ddefnyddio ei ffôn symudol fel lamp rhag baglu a chlustfeiniodd wrth ddrws ei lofft. Mwy o dawelwch. Estynnodd am y botel wydr ddirgel o ben y cwpwrdd. Roedd hi'n gynnes, yn llawer cynhesach na'r awyr oer yn y stafell. Diffoddodd golau'r ffôn a safodd Nico yn y düwch yn crynu.

Penderfynodd nad oedd gweithredu ar bwt o neges mewn potel ar lan llyn anghysbell yn syniad rhy dda. Mae'n rhaid bod rhywun yn chwarae triciau arno. Ond pwy?

Yn sydyn, dechreuodd y llawr grynu fel petai daeargryn yn ysgwyd y tŷ i'w seiliau a thybiodd Nico iddo weld y botel yn goleuo'n wan yn ei ddwylo. Yna, gwelodd y llenni'n goleuo fel petai wedi gwawrio mewn eiliad, a gollyngodd y botel mewn braw nes iddi dorri'n deilchion yn yr un man â'r cloc. Rhedodd at y ffenest. Doedd dim angen ei ffôn fel lamp i arwain y ffordd bellach. Edrychodd allan tuag at y llyn a gwelodd fod y golau'n dod o dan wyneb y dŵr, fel pelen o dân, yn tyfu a thyfu.

Neidiodd Nico i'w esgidiau a rhedeg allan drwy ddrws y tŷ. Er ei bod hi'n haf, roedd yr awel oer yn brathu. Rhedodd draw tua'r olygfa ryfedd, y goelcerth o dan y dŵr. Roedd y llyn i gyd wedi'i oleuo fel pwll nofio mewn gwesty crand a gallai Nico daeru ei fod yn gweld siapiau a symudiadau'r hen bentre'n dawnsio dan y lli.

Yn sydyn, saethodd yr holl oleuni o'r llyn mewn pelen dân i'r nos a diflannu rhywle rhwng y Sosban a Gwregys Orion.

Roedd glan y llyn fel y fagddu unwaith eto. Roedd hyn yn amhosib! meddyliodd Nico. Ond yna, disgynnodd cawod o ddŵr cynnes dros ei ben o'r awyr ddigwmwl.

Yng ngoleuni gwan y lleuad gallai Nico weld amlinell rhywbeth yn y dŵr. Teimlodd banig yn golchi drosto'n sydyn – beth os mai awyren oedd hi? Efallai fod pobl angen eu hachub! Gyda phob hanner cam a gymerai Nico'n nes at y dŵr, teimlai wres anarferol yn dod tuag ato. Roedd fel petai'r llyn cyfan wedi troi'n ddŵr berwedig. Penderfynodd fod yn rhaid chwilio am help. Estynnodd am ei ffôn symudol – a melltithio. Dim signal, wrth gwrs. Rhedodd am y tŷ ond, ac yntau bron â bod drwy'r drws, cofiodd nad oedd ffôn yn y tyddyn chwaith.

Ond yna, wrth i Nico droi fel top y tu allan i'r tŷ, heb wybod beth i'w wneud nesa, clywodd sŵn seirennau yn y pellter yn dod yn nes ac yn nes. Ymhen dim, roedd pum tryc 4x4 enfawr yn sgrialu tuag ato. Neidiodd Nico o'r ffordd a daeth y cerbydau bygythiol i stop, droedfeddi o'r llyn. Llifodd degau o ffigyrau mewn lifrau milwyr o'r tryciau a dechrau tynnu pob math o offer allan – ffensys metel a pheiriannau wedi eu gorchuddio â deialau o bob math. Gweithiai'r milwyr yn gyflym, rhai'n codi ffens o amgylch darn o'r llyn, ac eraill yn brasgamu o'i amgylch gyda pheiriannau bychain yn sganio'r awyr. Gwelodd Nico ddau ohonynt yn gosod peiriant mawr tebyg i hen gyfrifiadur at ei gilydd ar gefn un o'r cerbydau, y ddau â chlustffonau yn prysur siarad â'r derbynnydd ar ochor arall y lein.

Ond ble roedd yr injans tân? Ble roedd y deifwyr? Roedd Nico wedi rhewi am funud ar ôl gweld y tryciau'n rhuthro tuag ato ond sylweddolodd nad oedd neb yn gwneud dim i geisio achub rhywun o'r llyn.

'Gnewch rywbeth!' gwaeddodd dros sŵn y peiriannau wrth redeg yn ôl am y llyn. 'Oes unrhyw un yn dal yn fyw?'

Neidiodd y milwr agosa ato mewn dychryn, fel petai Nico wedi bod yn anweledig eiliadau ynghynt ac wedi ymddangos o nunlle fel bwci-bo.

'Be wyt ti'n neud yma?' ysgyrnygodd y milwr milain ar Nico. 'Alli di ddim gweld ei bod hi'n beryglus? Dos adre i dy wely ar unwaith!' Roedd ei ddannedd yn y golwg fel dannedd ci blin a chamodd Nico o'i ffordd yn sydyn. Syllodd ar y ddrama ryfedd o'i flaen am funudau lawer nes iddo fethu â sylwi ar ddrama arall oedd yn digwydd y tu ôl iddo. O'r diwedd, sylwodd a throdd i weld golygfa annymunol iawn. Roedd D.I. Wyn yn martsio, a'i gwynt yn ei dwrn, i fyny'r allt o gyfeiriad yr argae tuag at yr olygfa ryfedd ar lan y llyn. Doedd dim golwg o'i char a'i olau glas. O ble daeth hi, tybed? Rhedodd Nico i guddio mewn clwstwr trwchus o goed rhag ofn iddi hi ei weld. Doedd ganddo mo'r stumog i'w hwynebu hi heno. Clywodd ei llais yn mynnu cael gwybod beth oedd yn digwydd.

'Gorchmynion y llywodraeth, D.I. Wyn, mae'n rhaid i ni ddelio â hyn yn gyflym ac yn gyfrinachol. Rŵan, mae'n rhaid i mi ofyn i chi adael os gwelwch yn dda...'

Chwarddodd Nico'n dawel wrth glywed D.I. Wyn yn cael cerydd gan y milwr.

Dechreuodd coesau Dyddgu gyffio yn ei chwrcwd yn y coed. Allai hi ddim dechrau chwilio am yr hogyn – roedd gormod o bobol yn busnesa o gwmpas y llyn. Doedd hi ddim wedi arfer neidio i diroedd newydd ar ei phen ei hun. Beth ddylai hi ei wneud rŵan? Beth fyddai Melangell Wyn wedi dweud wrthi am ei wneud...? Yn y tywyllwch, allai hi ddim gweld dim ond amlinellau dryslyd y byd dieithr o'i chwmpas. Teimlodd ei hyder arferol yn bygwth ei gadael.

Clywodd sŵn sydyn y tu ôl iddi a chyn iddi allu symud cam i'w hamddiffyn ei hun, teimlodd law'n gafael am ei cheg. Daliodd sgrech yn ei gwddw a cheisiodd droi i ddianc o grafangau'r dieithryn ond roedd hi'n hollol sownd ym mreichiau cryf y sawl oedd y tu ôl iddi.

Deffrodd Doti Dwyfor i sŵn ei larwm byddarol yn atseinio dros Selador. Neidiodd ar ei heistedd a sylwi ei bod hi'n dal i fod yn dywyll. Beth goblyn oedd yn digwydd? Clywodd sŵn peiriannau cychod modur yn gwibio o amgylch y cabanau. Daeth llais un o Geidwaid y Deml Dywod dros uchelseinydd.

'Rhybudd: mae'r cod diogelwch wedi ei dorri. Pawb i aros yn eu tai nes y byddwn yn dal y drwgweithredwr. Rhybudd: mae'r cod diogelwch...'

Ochneidiodd Doti'n flin. Ers diflaniad y Cloc Tywod doedd dim llonydd i'w gael gan y Ceidwaid. Clywodd lais un o'r cynhyrchwyr ffilm yn gweiddi dros yr uchelseinydd,

'Alli di siarad ychydig yn arafach, os gweli di'n dda? Edrycha'n syth i gamera 3...'

Twt-twtiodd Doti eto. Hen sioe wirion oedd y cwbwl ar gyfer y camerâu. Roedd y Pennaeth yn ymddwyn fel cyflwynydd teledu wedi ei sbwylio. Trodd i weiddi ar y plant i fynd yn ôl i gysgu – roedd y ddau bob amser â'u trwynau yn y potes. Edrychodd o'i chwmpas yn y cysgodion eto a rhwbio'r cwsg o'i llygaid. Sylwodd fod y plant yn dawel iawn. A dweud y gwir, doedd dim golwg ohonyn nhw. Doedd bosib nad oedden nhw wedi clywed halibalŵ y Ceidwaid? Prociodd welyau'r ddau efo'i throed i wneud yn siŵr, ond roedd y cwrlidau'n oer.

Cyn i Doti gael eiliad i ystyried i ble roedd y cnafon bach wedi mynd, llanwodd ei chaban â golau artiffisial, a neidiodd pedwar Ceidwad mewn lifrau drwy'r drws. Yn nwylo'r ddau gynta roedd fflachlamp. Yn nwylo'r ddau arall roedd gynnau. Wrth i Doti weld y criw ffilmio'n straffaglu i fyny'r ysgol grog simsan gyda'u camerâu trwm, cododd ei dwylo fel petai'n ildio.

'Ble maen nhw?' holodd un o'r Ceidwaid yn fygythiol.

'Dim syniad,' atebodd Doti. 'Ond pan ffeindia i allan, mi a' i i chwilio amdanyn nhw fy hun, a rhoi clamp o chwip din i'r ddau!'

Brasgamodd D.I. Wyn o amgylch glan y llyn i edrych am gliwiau. Bob hyn a hyn deuai wyneb yn wyneb ag un o'r milwyr, a châi ei hatgoffa dro ar ôl tro y dylai hi fynd adre. Ysgyrnygai'n ôl arnyn nhw bob un. Mater i'r heddlu lleol oedd hyn, siawns?

Cofiai ryw sôn, fwy nag unwaith, am ddigwyddiadau amheus fel hyn yn digwydd ar fryniau o amgylch y Bala. Un tro, glaniodd rhywbeth anesboniadwy ar fynyddoedd y Berwyn gan adael pant enfawr yn y ddaear. Y fyddin oedd wedi delio â hynny hefyd, gan frysio yno a chau'r mynydd i'r bobol leol gyda'u geiriau mawr a'u hiwnifformau swyddogol. Roedd pob defnyn o dystiolaeth wedi diflannu o'r ardal o fewn ychydig ddiwrnodau a'r digwyddiad fel petai wedi ei frwsio o dan y carped fel hen lwch.

Ond roedd y stori wedi aros yn y cof ac wedi magu disgrifiadau blodeuog gyda chymorth dychymyg y trigolion lleol, meddyliodd D.I. Wyn. Roedd hel clecs dawnus pobol y Bala wedi gwneud yn siŵr nad oedd hanes mor gyffrous â hynny wedi diflannu'n gyfan gwbwl. Edrychai'r hyn ddigwyddodd yn Llyn Celyn heno fel digwyddiad tebyg iawn i hwnnw ar y Berwyn. Ond roedd D.I. Wyn, wrth gwrs, yn gwybod yn well.

Teimlai Nico'n ddiogel yn y coed. Roedd cysgod y dail yn ei guddio a'r oerfel yn braf ar ei groen ar ôl y gwres a godai o Lyn Celyn. Gwyliai'r milwyr wrth eu gwaith a synhwyro bod rhywbeth rhyfedd iawn yn digwydd. Pam roedd milwyr wedi ymddangos o nunlle mor gyflym, a hynny ar gais y llywodraeth? A pham roedd cymaint o beiriannau a neb i'w weld yn ceisio helpu neu'n gwneud unrhyw beth o werth?

⅄

Roedd Dyddgu ar fin brathu'r llaw fawr oedd yn gafael yn dynn am ei cheg pan glywodd lais cyfarwydd yn sibrwd 'Fi sy 'ma!' yn ei chlust.

'Gwydion!' ysgyrnygodd Dyddgu. 'Be ti'n neud 'ma?'

'Roedd yn rhaid i mi dy ddilyn di. Dwi 'di dy weld di'n syllu i'r môr bob nos. Ti'n meddwl bod ti 'di dod o hyd iddi hi, yn dwyt...?'

'Shhhh!' atebodd Dyddgu i geisio dawelu ei brawd wrth glywed sŵn sisial yn y coed gerllaw.

Edrychodd Nico i'r awyr. Roedd y sêr yn dawnsio. Yn sydyn, clywodd symudiad y tu ôl iddo yn y goedwig. Rhewodd. Clywodd sŵn mwy o frigau'n torri dan draed. Ai llwynog oedd yno? Neu un o'r milwyr wedi dod i chwilio amdano? Disgynnodd Nico ar ei bengliniau i guddio. Clywodd y sŵn yn nesáu – gallai glywed curiad ei galon yn ei glustiau. Trwy'r brigau, gwelodd amlinell dau berson yn symud yn araf. Daliodd Nico ei anadl rhag gwneud sŵn ac aros mor llonydd â madfall. Bron iddo neidio o'i groen pan glywodd lais melfedaidd yn galw o'r tu ôl iddo,

'Nico Morgan, pam wyt ti'n llechu yn y coed 'ma fel rhyw leidr pen ffordd?'

Syllodd Nico mewn dychryn. Roedd wyneb heriol D.I. Melangell Wyn yn ddigon i wneud i unrhyw un lenwi ei drowsus, ond yr hyn oedd wedi codi ofn ar Nico oedd yr hyn a welodd y tu ôl iddi. Roedd y ddau ffigwr a welodd yn y coed wedi rhewi'n llonydd, wrth geisio cuddio. Roedden nhw fel dau ddelw, nes y gallai Nico'n hawdd fod wedi eu camgymryd am ddau foncyff coeden. Ond yna, yn sydyn, sgrialodd y ddau i ffwrdd fel rocedi a thrwy'r tywyllwch gwelodd Nico eu llygaid yn fflachio'n wyrdd.

5

Erbyn i Nico gyrraedd y dosbarth fore trannoeth, roedd ei ffrindiau i gyd yn eistedd yn y cefn. Yn eu canol, fel seléb, roedd Guto – â chlamp o lygad ddu fawr. Teimlai Nico'n euog am frifo ei ffrind gorau ac roedd ar fin mynd i ymddiheuro pan sylwodd fod y bechgyn yn edrych tuag ato ac yn chwerthin. Newidiodd ei feddwl a mynd i eistedd yn y tu blaen.

Roedd Nico mor brysur yn ceisio anwybyddu herio'r bechgyn fel na sylwodd ar y bachgen a'r ferch ddieithr a ddaeth drwy'r drws. Bu bron iddo neidio o'i groen pan glywodd lais y ferch ddieithr wrth ei glust,

'Nico Morgan!'

Trodd mor gyflym nes achosi cric yn ei war. O'i flaen, yn sefyll yn dal a chefnsyth a gwallt du hir i lawr ei chefn, roedd y ferch ddieithr yn edrych arno'n dreiddgar. Roedd fel petai ei llygaid yn syllu i'w enaid ac yn llyncu ei gyfrinachau i gyd. Teimlodd Nico ei fochau'n gwrido, naill ai am ei bod hi mor dlws neu am ei bod yn gwneud iddo deimlo mor ofnadwy o fach. Yna, sylwodd fod bachgen yn sefyll yng nghysgod y ferch, yntau â gwallt tywyll dros ei glustiau a llygaid dwfn fel pyllau diwaelod yn ei ben. Safai fel cath amyneddgar yn ceisio dal anifail gwyllt.

Daeth Nico at ei goed yn ara deg. Roedd rhywbeth cyfarwydd am y ddau.

'Sut... sut wyt ti'n gwybod fy enw i?'

Fflachiodd darluniau byw o ddigwyddiadau'r noson gynt i feddwl Nico.

'Mae'n dweud ar flaen dy ddyddiadur gwaith cartre di – 'Nico Morgan',' atebodd y ferch. Roedd sŵn chwerthin yn ei llais ond doedd dim emosiwn ar ei hwyneb o gwbwl. Ymlaciodd Nico a diflannodd y darluniau o'i feddwl. Mae'n rhaid ei fod wedi blino, meddyliodd.

Roedd yn dal i syllu ar wefusau gwelw'r ferch pan glywodd sŵn chwibanu yn dod o gefn y stafell.

'Widawiiiiw!' gwaeddodd rhywun. Roedd yr holl ddosbarth cofrestru, dan arweiniad Guto, yn gwneud hwyl am ben Nico ar ôl sylwi ei fod yn syllu mor gariadus ar y ferch ddieithr. Sylwodd Nico fod pawb yn edrych arno. Ac yn waeth fyth, sylwodd ar Magi'n sefyll wrth y drws, yn edrych fel petai ar fin beichio crio.

'Mags!' gwaeddodd arni. Trodd hithau ar ei sawdl a rhedeg o'r stafell. Cododd Nico i fynd ar ei hôl.

'Nico.' Clywodd lais y ferch ddieithr yn galw'n awdurdodol am ei sylw. Roedd rhywbeth yn y llais a wnaeth iddo stopio a throi i'w hwynebu.

'Gad iddo fo, Dyddgu. Gawn ni gyfle wedyn.' Clywodd lais y bachgen dieithr yn ei hatal. Amneidiodd hi fel petai'n rhoi caniatâd iddo i adael a brasgamodd Nico drwy'r drws ar ôl Magi.

'Dyddgu...' sibrydodd, a rowlio'r enw fel darn o gwm cnoi o amgylch ei geg.

Roedd y prifathro yn ei gwrcwd wrth ymyl y dderbynfa yn trio dal robin goch bach oedd wedi hedfan drwy'r drws agored. Eisteddai'r aderyn bach yn llonydd ar lawr yn edrych drwy'r ffenest, ond bob tro y deuai dwylo mawr Mr Davies o fewn cyrraedd, fe hedfanai i ffwrdd i glwydo rywle arall. Byddai angen tipyn o bwyll ac amynedd i ddal hwn.

Rhedodd Nico ar hyd y coridor tuag at y dderbynfa ar ôl Magi a bu bron iddo faglu dros y prifathro, ond llwyddodd i stopio jyst mewn pryd.

'Nico Morgan! Be 'di hyn? Wyt ti wedi colli dy ffordd wrth chwilio am linell derfyn y ras?'

'Ymm, hwyr i'r dosbarth cofrestru, syr.'

'Wel, dos 'te! A *cherdda*, os gweli di'n dda, a phaid bod yn hwyr eto.'

'Iawn, syr,' meddai Nico cyn anelu i gyfeiriad cwbwl wahanol i'w stafell gofrestru yn slei bach. Roedd yn gwybod yn iawn lle i ddod o hyd i Magi.

Gorffennodd Miss Evans y gofrestr cyn edrych yn amheus dros ei sbectol ar Dyddgu a Gwydion a eisteddai o'i blaen.

'A beth ydi'ch enwau chi?'

'Dyddgu a Gwydion Dwyfor, Miss. Wnaeth y prifathro ddim sôn...?'

'Na... Oes gennych chi amserlen?'

'Oes!' atebodd Dyddgu.

'Nac oes!' atebodd Gwydion ar yr un pryd.

Rhoddodd Dyddgu gic galed i Gwydion dan y bwrdd.

'Mi ddywedodd y prifathro wrthon ni am ddilyn Nico Morgan am y tro...'

Dechreuodd y bechgyn yng nghefn y dosbarth chwerthin eto.

'Blwyddyn 10!' gwaeddodd Miss Evans. 'Nico Morgan... ble mae hwnnw, beth bynnag? Oes rhywun wedi'i weld?'

'Peidiwch â phoeni, Miss Evans, 'dan ni'n gwybod lle i fynd,' atebodd Dyddgu a chodi ar ei thraed.

Agorodd Nico ddrws cyntaf y Stafell Dywyll a'i gau ar ei ôl. Safodd yn y cyntedd cul a churo ar yr ail ddrws yn ysgafn cyn ei agor.

'Magi?'

Clywodd sniffian yn dod o'r gornel.

'Be sy? Y bechgyn oedd yn tynnu coes...'

'Ti 'di newid!' udodd Magi rhwng igian crio.

'Mae popeth 'di newid!' atebodd Nico'n ddramatig.

'Ond Nico, be sy 'di digwydd i ti? Ti'n fy anwybyddu i fwy neu lai drwy'r haf. Yna ti'n dod 'nôl i'r ysgol a bod yn neis am ddau funud cyn rhoi dwrn i dy ffrind gorau, a chael dy yrru o'r ysgol! A heddiw, ti'n fflyrtio efo rhyw jadan dal o flaen y dosbarth cofrestru i gyd.'

Eisteddodd Nico wrth ei hymyl ar y llawr, yn y tywyllwch.

'Mags, dwi'n sori. Mae pethau wedi bod yn anodd yn ddiweddar, ar ôl i Dad adael Mam... wel... ac mae 'na bethau rhyfedd wedi bod yn digwydd...'

'Be ti'n feddwl, rhyfedd?' sychodd Magi ei llygaid a chwythu ei thrwyn yn swnllyd.

'Wel, mi ffeindies i botel yn y llyn. Potel wydr a neges ynddi.'

'Be? Neges mewn potel? Yn Llyn Celyn?'

'Ie, ac roedd neges ynddi i fi, Mags. Roedd fy enw i yn y botel.'

Clywodd Nico sŵn od yn dod o gyfeiriad Magi yn y tywyllwch a meddyliodd am eiliad ei bod hi'n crio eto.

'Pfffft...' dechreuodd Magi igian yn uwch a sylwodd Nico mai chwerthin oedd hi.

'Haha!' meddai hi, yn dal i chwerthin. 'Neges mewn potel! O ba ynys bell, tybed?!'

Dechreuodd Nico chwerthin hefyd, dros y stafell, nes bod y ddau bron yn rowlio ar lawr. Doedd o ddim yn cofio chwerthin cymaint ers sbel. Penderfynodd Nico beidio â dweud mwy am yr holl bethau rhyfedd oedd wedi digwydd yn Nhyddyn Garw dros y dyddiau diwetha. Cododd ar ei draed a thynnu Magi i fyny gerfydd ei llaw.

'Ty'd! Does 'na'm pwynt mynd i'r dosbarth cofrestru. Arhoswn i yma tan y wers gelf, mae gen i chydig o luniau angen eu datblygu.'

Safodd y ddau ochor yn ochor yn dawel yn y Stafell

Dywyll yn datblygu'r lluniau. Roedd arogl yr hylif datblygu yn gyfarwydd a theimlai Nico'n fodlon ei fyd. Teimlai'n falch fod Magi wedi tawelu. Y peth ola oedd ei angen arno oedd ei cholli hi.

Trodd i edrych ar y lluniau ar y lein fechan oedd yn prysur ddatblygu o flaen ei lygaid. Roedd fel bwrdd stori'n adrodd hanes yr haf. Roedd y llun cynta'n dangos ei fam yn sefyll o flaen Tyddyn Garw. Sylwodd fod y paent ar fframiau drws a ffenestri'r tŷ yn plicio. Roedd wedi eu peintio'n daclus ers hynny.

'Sbia!' meddai Magi, gan bwyntio at yr ail lun oedd yn dechrau dod i'r golwg. Llun ohoni hi'n gwibio heibio ar gefn beic. 'Clyfar iawn! Roeddet tithe ar gefn beic, yn symud hefyd, os cofia i'n iawn!'

Chwarddodd Nico wrth gofio'r diwrnod hwnnw. Craffodd ar y trydydd llun yn datblygu. Roedd hi'n dywyll. Roedd wedi cael ei dynnu liw nos. Syllodd yn nes a gwelodd fod y llun wedi ei dynnu o'r llethrau uwchben Llyn Celyn. Roedd un ffigwr bach wrth ymyl y llyn, yn edrych fel petai'n taflu cerrig i'r dŵr. Roedd y gwallt melyn yn amlwg, yn goleuo yng ngolau'r lleuad.

'Ti, yn taflu cerrig i'r dŵr!' meddai Magi.

Teimlodd Nico ei waed yn oeri. Dyma'r noson y daeth o hyd i'r botel yn y llyn. Roedd yn bendant ei fod ar ei ben ei hun y noson honno.

Agorodd y drws yn sydyn, gan wneud i'r ddau neidio.

'Aha! Mr Morgan a Miss Jones. Dyma chi! Mae Mr Davies am eich gwaed chi am beidio mynd i'r dosbarth cofrestru. Ond gewch chi fynd i'w weld o amser egwyl. Mae gen i dasg arall i chi!'

Gwenodd Nico er gwaetha'r trwbwl yr oedd wedi tynnu am ei ben eto. Roedd Picasso, yr athro celf, yn gymeriad a hanner. Roedd yntau wrth ei fodd â Nico a Magi oherwydd eu diddordeb mewn ffotograffiaeth. Gwthiodd Picasso ddau ffigwr i mewn drwy'r drws o'i flaen.

Suddodd calon Nico a theimlodd Magi'n sythu'n sydyn wrth ei ochor.

'Dyma ddau ddisgybl newydd – Dyddgu a Gwydion Dwyfor. Mae'r ddau'n awyddus i ddysgu sut i ddatblygu lluniau a phwy well i ddangos iddyn nhw na chi'ch dau! Ddo i draw toc i weld sut dach chi i gyd yn dod yn eich blaenau!'

A diflannodd Picasso gyda chlep i'r drws gan adael y ddau bâr yn wynebu ei gilydd fel petaen nhw ar fin cychwyn gêm gystadleuol o dennis bwrdd.

'Nico...' meddai Dyddgu.

'Sut ti'n gwybod ei enw o?' poerodd Magi'n sydyn.

'Roedd o ar flaen y dyddiadur gwaith cartre...' meddai Nico a Dyddgu'r un pryd. Llenwodd y tywyllwch â thawelwch anghysurus.

'Reit, ym, wel, dewch i weld yr offer,' meddai Nico gan geisio torri'r ias. Llusgodd y pedwar eu traed tua'r ddesg a theimlodd Nico Magi'n ymbalfalu am ei law. Gwasgodd yntau ei llaw yn ôl yn dynn. Sylwodd fod Dyddgu a Gwydion yn syllu ar y lluniau gyda diddordeb.

'Llyn Celyn,' meddai Dyddgu'n bendant.

'Ie. Ti'n gyfarwydd â'r lle?' atebodd Nico. Roedd y ffordd roedd y ddau ddieithr yn ymddwyn mor hyderus yn gwneud iddo deimlo'n anghysurus.

'Yndw,' atebodd Dyddgu eto'n ddi-lol, heb gynnig mwy o esboniad.

Teimlodd Nico ei hun yn dechrau cynhyrfu. Doedd hon ddim yn sefyllfa gyfforddus o gwbwl. Dechreuodd osod yr offer yn flêr, ac yn ei frys collodd badell yn llawn hylif ar y llawr. Atseiniodd y glec dros bob man a rhegodd Nico'n dawel o ddychmygu'r llanast.

'Paid poeni,' gwaeddodd Magi'n sydyn, gan redeg i nôl cadach o'r gornel i sychu'r gwlybaniaeth.

Wrth aros i Magi ddychwelyd, crwydrodd llygaid Nico'n nerfus nes dod i stop ar y man lle safai Dyddgu a Gwydion. Agorodd ei geg mewn syndod a dihangodd gwaedd ddychrynllyd o'i geg cyn iddo oedi am eiliad i ystyried beth roedd yn ei weld. Rhedodd fel llewpart drwy ddrws y Stafell Dywyll gan adael y ddau ddrws ar agor led y pen. Gadawodd lwybr o luniau wedi eu difetha fel cynffon seren wib o'i ôl ac achosi i bob math o offer arall sgrialu dros y llawr.

'Aros! Lle ti'n mynd?' Clywodd lais Magi'n gweiddi ar ei ôl. Ond feiddiai Nico ddim aros. Wrth edrych i gyfeiriad Dyddgu a Gwydion yn y Stafell Dywyll, roedd wedi gweld rhywbeth a welsai'n ddiweddar – roedd llygaid y ddau ddieithryn yn fflachio'n wyrdd.

Taflodd Nico garreg yn bell i ddŵr y llyn. Yna, edrychodd y tu ôl iddo, rhag ofn fod rhywun yno, yn ei wylio. Chwyrnodd ei fol fel teigr. Roedd ar lwgu, a hithau wedi pasio amser cinio. Ystyriodd fynd yn ôl i Dyddyn Garw a chyfadde'r cwbwl wrth ei fam ond doedd Nico ddim eisiau peri gofid iddi. Byddai'r newyddion ei fod wedi ei wahardd o'r ysgol ddau ddiwrnod yn olynol yn ddigon i'w gyrru yn ôl i'w gwely am weddill y dydd. Credai fod ei gosb ychydig yn llym. Roedd wedi dychryn cymaint yn y Stafell Dywyll nes ei fod wedi rhegi'r holl ffordd i lawr y coridor a rhedeg yn syth i mewn i'r wal o brifathro. Efallai y gallai fod wedi erfyn am faddeuant ond, yn ei sioc, fe ollyngodd Mr Davies y robin goch yr oedd *newydd* lwyddo i'w ddal!

Meddyliodd am sosban lobsgóws ar y stof, a bara brown ffres a menyn yn toddi arno, a dechreuodd lafoerio. Ond yna, meddyliodd am wyneb blinedig ei fam ac anghofiodd am y lobsgóws. Syllodd Nico i'r llyn a thybiodd iddo weld wyneb yn edrych yn ôl arno. Bliniciodd yn galed ac edrych eto. Chwarddodd – dim ond ei adlewyrchiad ei hun oedd yno, yn edrych yn syn fel pysgodyn aur.

Craffodd Nico ar y llawr am olion o'r ddamwain wrth y llyn neithiwr ond doedd dim i'w weld. Roedd y fyddin wedi mynd â phob darn bychan o offer oddi yno, gan adael y lle'n lân ddilychwin. Doedd Nico ddim wedi sôn wrth neb am y peth ac, wedi meddwl, chlywodd Nico ddim smic ar y newyddion am y ddamwain ar y bryn. Roedd popeth wedi diflannu a'r digwyddiad fel breuddwyd gas. Ai cuddio cyfrinach o ryw fath oedd pwrpas y fyddin? Eisteddodd ar y llawr. Roedd y ddaear yn gynnes. Nid breuddwyd oedd hi, roedd yn sicr o hynny. Roedd y coed yn y pellter yn syllu arno'n fygythiol a rhedodd ias fel dŵr oer i lawr ei gefn. Allai hi ddim bod yn freuddwyd – yr un rhai oedd y llygaid gwyrddion yn y coed â'r rhai a welodd heddiw yn y Stafell Dywyll.

'Gad i ni esbonio,' meddai llais o rywle. Neidiodd Nico am yr eilwaith y diwrnod hwnnw a llamu ar ei draed a gwneud siâp Ninja yn barod i ymladd. Roedd Gwydion a Dyddgu yn sefyll yno'n gwbwl ddiemosiwn, eu hwynebau fel clai. Ystyriodd Nico redeg tua diogelwch pedair wal Tyddyn Garw. Roedd yn siŵr o allu cyrraedd yno'n gynt na'r ddau yma.

'Aros!' gorchmynnodd Dyddgu. Sylwodd Nico ar y tinc awdurdodol hwnnw yn ei llais eto, ac ufuddhaodd. Er gwaetha ei ofn, roedd rhywbeth yn yr olwg heddychlon ar wynebau'r ddau yn gludo ei draed i'r llawr. Ac am ryw reswm, allai o ddim peidio â syllu ar Dyddgu.

Arhosodd Nico fel Ninja a dewisodd ei fol wneud sŵn od iawn, a theimlodd ei fochau'n cochi. Mae'n rhaid 'mod i'n edrych yn rhyfedd iawn, meddyliodd, gan ollwng ei ddwylo.

'Melangell Wyn...' meddai Dyddgu.

'YCH! LLE?' gwaeddodd Nico, gan edrych o'i gwmpas yn wyllt.

Llamodd calon Dyddgu o glywed y fath ymateb i'r enw yn llais y bachgen. Brwydrodd i gadw'r cynnwrf o'i llais.

'Iste i lawr, a bwyta'r rhain. Mae dy fol di'n chwyrnu. Mae angen i ni siarad am Melangell Wyn.'

Taflodd Dyddgu rywbeth ato, a tharodd paced o greision Nico yn ei drwyn.

'Aw,' meddai Nico.

'Stopia ymddwyn fel babi. A stopia redeg i ffwrdd bob cynnig, 'nei di? 'Dan ni ddim wedi dod yr holl ffordd yma i redeg ar ôl hogyn gwirion sydd ofn ei gysgod.'

Teimlai Nico ei fod newydd gael cerydd gan rywun pwysig. Felly, eisteddodd ar y llawr ac agor y bag creision.

'Teimlo'n well?' holodd Dyddgu ar ôl sefyll yn syllu ar Nico'n llowcio'r creision fel petai'r byd ar fin dod i ben.

Nodiodd Nico.

'Iawn, mae hyn yn amhosib i'w esbonio i ti'n gall, ac mae amser yn brin, felly dilyna fi. A tithe, Gwydion!' meddai Dyddgu, ac ymhen dim roedd hi wedi troi a cherdded yn syth i mewn i'r llyn.

'Lle ti'n mynd? Paid â bod yn wirion!' bloeddiodd Gwydion ar ei hôl a sylwodd Nico nad oedd wedi clywed prin smic o geg yr hogyn bryd tywyll cyn hyn.

Roedd Dyddgu hyd at ei chanol yn y dŵr oer a Gwydion yn rhedeg ar ei hôl, cyn i Nico neidio ar ei draed ac adleisio cwestiwn Gwydion.

'Be dach chi'n neud? Lle dach chi'n mynd?'

'Paid â gofyn cwestiynau. Mae'n rhaid i ni ddangos i ti be mae Melangell Wyn wedi'i neud.'

Allai Nico ddim esbonio beth wnaeth iddo ddilyn y ddau. Roedd fel petaen nhw wedi bwrw swyn arno. Naill ai hynny neu roedd ei frwdfrydedd ynglŷn â Melangell Wyn, neu Dyddgu efallai, yn drech nag o. Wrth iddo gerdded i mewn i ddŵr oer y llyn, clywodd lais ei fam yn galw o ddrws Tyddyn Garw.

'NICO! NICOOOO!'

Ond allai o ddim troi'n ôl, roedd fel petai llinyn anweledig yn ei dynnu i'r dyfnderoedd, yn ddyfnach ac yn ddyfnach, nes iddo deimlo'r dŵr oer yn llifo dros ei drwyn, dros ei lygaid, dros ei wallt. Roedd dŵr yn ei glustiau, yn llenwi ei geg, a'i ddillad yn drwm, drwm, ac yn ei dynnu i lawr i waelod y llyn. Aeth pobman yn dywyll.

6

'Nico... Nico...' Clywodd lais ei fam yn galw arno, fel petai ei glustiau wedi eu lapio mewn gwlân cotwm. Ceisiodd wenu i ddangos iddi ei fod yn iawn, a chodi ei law i gyffwrdd â'i hwyneb yn dyner.

'NICO!' Agorodd ei lygaid a sylwi ei fod wrthi'n rhoi mwythau i wyneb syn Gwydion.

'Waaaa!' Cipiodd ei law yn ôl a neidio ar ei eistedd fel jac yn y bocs. Edrychodd o'i gwmpas ond doedd dim golwg o'i fam. Doedd dim golwg o Dyddyn Garw na'r bryniau, na'r llyn. Teimlai fel petai'n deffro o drwmgwsg ar ôl i Huwcyn Cwsg ei daro yn ei wyneb â bricsen.

Roedd yn eistedd ar garped o dywod aur ar ynys yn wynebu môr mawr glas. O'i gwmpas ar y traeth roedd cylch perffaith o flodau tebyg i lygaid y dydd lliwiau'r enfys, a meddyliodd Nico tybed a oedd wedi ei herwgipio i Dir na n-Og gan dylwyth teg. Ond roedd pennau'r blodau tlws yn drwm a phob blodyn yn gwywo'n drist. Roedd rhywbeth yn annaturiol iawn am y lle. Trodd i wynebu'r tir. Yn codi fel fflamingos pren i bob cyfeiriad roedd cabanau mawr yn eu cannoedd. Roedd gwifrau a leiniau golchi dillad yn croesi blith draphlith o un caban i'r nesa fel gwe pryfaid cop, a dillad o bob math yn chwifio ar y leiniau. Chwibanai'r awel gân fain wrth wibio o amgylch corneli llonydd y cabanau, gan atgoffa Nico o'r hen ffilmiau cowbois yr arferai eu gwylio gyda'i dad. Roedd tensiwn yn yr aer, fel petai cowboi drwg ar fin ffrwydro drwy ddrws salŵn, a gwn yn ei law.

Torrodd llais chwerw Gwydion y tawelwch anghyfforddus.

'Croeso i Selador.'

Roedd Dyddgu'n sefyll â'i chefn tua'r môr yn syllu ar y pentre bach rhyfedd ar stilts ac am y tro cynta, gwelodd Nico emosiwn yn crebachu ei hwyneb.

'Mae'n rhaid i ni frysio, dewch. Peidiwch gadael i neb eich gweld chi.' Clywodd ei llais yn sibrwd yn isel.

Dilynodd Nico'n llechwraidd ond doedd dim golwg o un enaid byw. A oedd o rywsut wedi deffro yn yr hen bentre o dan Lyn Celyn? Doedd y lle ddim yn edrych yn debyg i hen luniau ei daid. Ond doedd y lle ddim yn debyg i unlle a welsai erioed o'r blaen chwaith. Doedd yn sicr ddim byd tebyg i'r Bala. Daeth blinder mawr dros Nico ac ysai am gael gorwedd ar y tywod ac anghofio am yr holl bethau rhyfedd oedd wedi digwydd ers y bore. Na, roedd eisiau mynd yn ôl ymhellach na hynny. Beth am gael deffro dri mis yn ôl? Cyn i D.I. Melangell Wyn ddod i fwrw'i swyn dros ei dad a chyn gorfod symud i'r tyddyn bach cam, ymhell bell o bob man, a chyn dod o hyd i'r neges ryfedd mewn potel yn y llyn.

'Lle ydw i?' mentrodd sibrwd.

'Selador. Mae Gwydion newydd ddweud wrthat ti – "Croeso i Selador". Ond does dim croeso i neb yma bellach. Mae'r lle fel mynwent fyw... Rŵan brysia, mae'n rhaid i ni symud. Allwn ni ddim gadael i neb ein gweld ni.'

Selador? Daearyddiaeth oedd un o gas bynciau Nico yn yr ysgol ond roedd yn eitha siŵr nad oedd erioed yn ei fywyd wedi clywed am y ffasiwn le o'r blaen. Dilynodd y ddau yn anfoddog tuag at y pentre bach ar stilts a'u toeau bron â chyffwrdd y cymylau.

Os oedd o wedi boddi yn y llyn, roedd nefoedd yn edrych yn wahanol iawn i'r hyn a ddychmygai. Dringodd yr ysgol grog ar ôl y ddau, yn uchel i fyny i un o'r cabanau pren a chlywodd waedd flin yn dod drwy'r drws. Cyrhaeddodd Nico y copa, ac yng nghanol y stafell bren sgwâr gwelodd Dyddgu a Gwydion yn sefyll yn benisel yn cael clamp o lond pen gan ddynes fach grom a llwy bren yn chwifio'n fygythiol yn ei llaw. Gallai hon fod yn ddwrdiwr proffesiynol. Gwelodd Nico'n syth o ble y câi Dyddgu ei natur benstiff.

'... a sleifio fel'na ganol nos heb ddweud bw na be! Oes ganddoch chi unrhyw syniad am faint y bu'r Ceidwaid yma yn fy holi i? Mi fu bron raid i mi fynd i'r Deml Dywod i weld y Pennaeth! Dychmygwch! Ac mae'r cymdogion i gyd wrth eu bodd, wrth gwrs. "Rhen Doti Dwyfor wedi magu dau fradwr bach sydd wedi rhedeg ar ôl yr hen wrach Melangell 'na!" Cywilydd!'

'Ond Mam... trio dod o hyd i Melangell Wyn 'dan ni, i ddod â'r Cloc yn ôl...'

'Wel, tydw *i*'n gwybod hynny! Ond does dim stop ar dafodau pobol, unwaith y cawn nhw sôn am stori!'

Pesychodd Nico'n dawel a sylwodd Doti arno'n sefyll

yn y drws fel gwsberen. Trawsnewidiodd ei hwyneb yn llwyr ac yn sydyn doedd hi'n ddim ond dynes addfwyn yr olwg wedi ei lapio mewn blanced wlân. Roedd ei llygaid yn drwm a'i gwallt yn annaturiol o frith. Roedd blinder blynyddoedd ar ei hwyneb ac roedd hi'n atgoffa Nico o Awen, ei fam, er na chododd hi ei llais arno erioed. Edrychodd y wraig arno a gwenu'n drist.

'O, helô! Swfenîr i mi! Croeso i Selador. Gobeithio nad ydi'r ddau yma wedi bod yn creu gormod o drwbwl.'

Ychydig yn ddiweddarach, estynnodd Gwydion fowlennaid o rywbeth tebyg i uwd i Nico ac eisteddodd pawb ar y mat ar y llawr.

'Falle y byddai'n well i mi geisio esbonio rhai pethau,' meddai Dyddgu. Ac fel storïwr o flaen y tân, dechreuodd adrodd stori anhygoel.

'Wn i ddim sut cafodd y Ddaear, dy blaned di, ei chreu. Efallai nad wyt ti hyd yn oed yn gwybod hynny dy hun, Nico. Ond mae pawb yn Selador yn gwybod hanes ein planed ni.'

'Amser maith yn ôl, dechreuodd storm dywod chwyrlïo yn y gofod. Roedd y storm mor ffyrnig nes i'r tywod droi a throi'n gorwynt cas, a bu'n troelli'n chwyrn am filoedd o flynyddoedd. O dipyn i beth, llyncodd y storm gymaint o lwch a cherrig o'r gofod nes datblygu'n blaned a throdd y cwmwl tywod yn dir caled dan draed ac fe arafodd y storm.

'Yna, daeth mellten enfawr, a tharo'r blaned. Gyrrodd y fellten sbarc o drydan drwy'r holl dir nes creu egni anhygoel, ac fe esblygodd honno'n greaduriaid byw, yn fodau dynol a ddysgodd sut i adeiladu tai coed yn uchel rhag y llanw, a physgota yn y moroedd i fwydo eu hunain.

'Uwchben Selador yn y nos mae 'na ddau leuad – un yn teithio i fachlud yn y gorllewin a'r llall i fachlud yn y de. Dyma sy'n achosi i'r moroedd godi gyda'r hwyr, bron iawn nes bod y llanw'n gorchuddio'r tir i gyd. Roedd trigolion yr hen oesoedd yn ofni y byddai'r ddau leuad yn taro yn erbyn ei gilydd ryw ddiwrnod, a bydden nhw'n ymarfer pob math o ddefodau a swynion i geisio plesio'r duwiau i atal hyn rhag digwydd. Dos i edrych,' meddai Dyddgu.

Cododd Nico a mynd allan ar y balconi. Cipiwyd ei anadl gan yr olygfa anhygoel yn yr awyr. Roedd y ddau leuad hyd dwy lygad oddi wrth ei gilydd a'u disgleirdeb yn taflu golau anghyfarwydd ar y nos yn Selador.

'O dipyn i beth, stopiodd holl dywod y storm chwyrlïo, heblaw am un pentwr bychan bach o ronynnau. Casglwyd y rheini'n ofalus a'u rhoi'n ddiogel mewn cloc gwydr. Adeiladwyd Teml fawreddog i warchod y Cloc Tywod sanctaidd hwn ac ers y diwrnod hwnnw mae dau geidwad wedi gwarchod y porth ddydd a nos.'

Oedodd Dyddgu i roi cyfle i Nico edrych am y Deml.

Gwelodd yntau adeilad enfawr yn y pellter a'i hatgoffai o'r pyramidiau yn yr Aifft.

'Mae'r Deml Dywod yn cael ei defnyddio fel pencadlys i'r Pennaeth a'i Gyngor,' ychwanegodd Dyddgu. 'A'r Gwylwyr hefyd – o fan'no dwi'n gweithio bob dydd, yn neidio i diroedd newydd i edrych am ddeunyddiau newydd. Wel, dyna oedd ein gwaith ni tan yn ddiweddar...'

'Fan'no *roeddet* ti'n gweithio, 'ngeneth i. Gymran nhw mohonat ti'n ôl bellach ar ôl yr hen dric gwael 'nest ti drwy neidio i'r môr heb ganiatâd!' gwaeddodd Doti o'i gwely yn y gornel.

Syllodd Nico'n ofalus ar y Deml Dywod, a'i feddyliau'n chwyrligwgan o gwestiynau cymhleth. Neidio i diroedd newydd? Roedd hyn oll yn swnio'n amhosib. Ond eto, roedd yn sefyll yma, yn gwbwl effro, dan *ddau* leuad llachar.

Yng ngolau pŵl y gwyll tybiai Nico ei fod yn gweld dau ffigwr ger drws y deml yn chwifio eu fflachlamp tuag ato. Camodd i'r tŷ i roi gwybod i Dyddgu ond syllodd ei llygaid i'w lygaid yntau, fel petai'n ei rybuddio i ddweud dim byd. Teimlodd Nico wefr drydanol o gael ei llygaid wedi eu clymu â'i rai yntau am eiliad fechan.

'Y gred ydi fod y Cloc Tywod yn ffynhonnell egni hollbwysig i Selador. Mae'n gloc anhygoel. Mae gronynnau tywod wedi bod yn llifo o dop y Cloc yn ddi-dor ers cyn cof, er nad oes neb byth yn ei droi ben i waered. A dydi'r twmpath tywod ar waelod y Cloc byth yn codi, nac yn gostwng. Heb y Cloc yn Selador, mae pawb a phopeth yn gwywo. Mae fel petai enaid popeth byw yn cael ei sugno ohonynt yn ara bach.

'Tan yn ddiweddar iawn, arferai ambell un gredu mai coel gwrach oedd hyn i gyd. Mae pobol wedi cwyno ers blynyddoedd fod trethi pobol Selador yn mynd i ariannu'r Ceidwaid wrth ddrws y Deml Dywod. Ond yna, union dri mis yn ôl, fe darodd y ddau leuad yn erbyn ei gilydd.'

'Go iawn?' poerodd Nico mewn syndod. Dychmygodd y glec enfawr fyddai hynny wedi ei achosi.

'Wel, na, ddim yn hollol. Fe basiodd un lleuad o flaen y llall ac edrychai fel petai un wedi diflannu – eclips. Aeth y nos yn Selador yn dywyllach nag erioed o'r blaen. Mae pethau anhygoel yn gallu digwydd yn ystod eclips. Y noson honno llwyddodd *rhywun* i dorri mewn i'r Deml Dywod a dwyn y Cloc. Melangell Wyn ydi ei henw hi. Dwi'n meddwl ei bod wedi llwyddo i neidio drwy'r môr i dir arall, i dy blaned di, Nico.'

Tagodd Nico o glywed yr enw.

'Melangell... D.I. Wyn? Be? Ond... sut?'

'Mae dŵr yn gweithio fel porth rhwng dau fyd. Dim unrhyw ddŵr, cofia. Allwn ni ddim neidio i *unrhyw* le, neu byddai mynd i'r bàth yn ddefod beryglus... Mae'n rhaid i'r dŵr fod â rhyw egni yn perthyn iddo; gall egni agor drysau rhwng bydoedd. Dychmyga Lyn Celyn – mae'n gorlifo ag egni oherwydd holl atgofion yr hen bentre a foddwyd yno. Roedd ein pentre ni'n arfer ymestyn draw i'r gorwel nes i'r llanw uchel ei lyncu.

Mae'n lle perffaith i'r Gwylwyr weithio oherwydd yr holl egni sy'n pelydru o'r dŵr.'

Syllodd Nico'n gegagored ar Dyddgu, yn methu'n lân â chredu ei geiriau.

'Dri mis yn ôl, pan ddiflannodd y Cloc, daliodd pawb eu hanadl, gan hanner disgwyl i'r lleuadau ddisgyn i'r llawr, i'r llanw godi a llyncu'r cabanau'n gyfan. Ond ddigwyddodd dim byd. Gollyngodd y blaned gyfan ochenaid o ryddhad.'

'Ond pam eich bod chi mor daer i gael y Cloc yn ôl, felly?' holodd Nico.

'Wel, ddigwyddodd dim byd yn syth bìn. Ond, o dipyn i beth, dechreuodd pethau od iawn ddigwydd yn Selador. Pethau bach i ddechrau. Diflannodd yr adar bach duon i gyd un diwrnod, a'r bore wedyn fe olchwyd eu cyrff i gyd ar lan y môr yn farw. Yna, dechreuodd yr ysgolion gwyno bod absenoldeb plant wedi codi'n aruthrol o fewn wythnos. Roedd pawb yn cwyno eu bod wedi blino'n ofnadwy, a hynny heb esboniad. Yr henoed oedd y nesa i ddiodde. Dydyn nhw'n gwneud dim ond cysgu. Mae pawb yn dechrau teimlo effaith diflaniad y Cloc ond fe all y bobol ifanc ddal i fynd am beth amser eto. Mae'r holl blaned fel petai wedi mynd i mewn i beiriant golchi ar y tymheredd anghywir a dod allan wedi crebachu a cholli lliw.'

'Ond pam fyddai Melangell Wyn yn dwyn y Cloc, a hithau'n gwybod yr effaith fyddai hynny'n ei chael ar Selador? Onid dyma ei chartre hithau?'

'Os all y Cloc Tywod roi digon o egni i gadw planed

gyfan yn fyw, dychmyga be all yr un faint o egni ei roi i un person? Mae Melangell Wyn wedi dwyn yr unig beth all roi bywyd tragwyddol iddi. Bydd egni'r Cloc Tywod yn ei chadw hi'n fyw am byth.'

Ystyriodd Nico hyn am eiliad. Melangell Wyn yn byw am byth? Fyddai o fyth bythoedd yn llwyddo i gael gwared arni!

'Reit, dyna ddigon,' cyhoeddodd Doti. 'Dwi angen cwsg! Bydd rhaid codi gyda thrai'r môr i fynd i roi gwybod i'r Pennaeth eich bod wedi dod o hyd i Melangell Wyn. Dim smic arall, Dyddgu.'

Gwenodd Nico. Roedd clywed rhywun mor finiog ei thafod â Dyddgu yn cael cerydd ei hun yn rhoi pleser mawr iddo. Torrwyd ar ei feddyliau gan sŵn modur y tu allan i'r caban. Rhedodd y pedwar i'r balconi ac edrych i lawr, lle roedd pedwar Ceidwad yn paratoi i ddringo'r ysgol simsan o'u cwch modur.

'Dyddgu a Gwydion Dwyfor, mae'r Pennaeth wedi ein gyrru i'ch hebrwng chi i'r Deml AR UNWAITH ar amheuaeth o neidio i dir arall heb ganiatâd, ac am wrthwynebu gorchmynion...'

Sylwodd Nico fod Dyddgu'n syllu i'r môr, yn anwybyddu'r Ceidwad bygythiol.

'Mi ddywedais i wrthoch chi'r tro diwetha, y cnafon, am beidio â mentro dod yn ôl i 'nghartre i eto...!'

Daeth cymdogion i ffenestri eu cabanau i weld Doti Dwyfor yn gweiddi dros y lle.

'Mae'r plant wedi dod o hyd i Melangell Wyn!' dechreuodd Doti weiddi ar bawb a'i nain. Closiodd

Gwydion ati i geisio ei thawelu. Manteisiodd Dyddgu ar hyn i glosio at Nico. Gafaelodd yn ei law'n dynn a theimlodd Nico ias yn rhedeg trwy'i gorff. Teimlodd ei gwefusau wrth ei glust ac yna sibrydodd Dyddgu,

'Ar ôl tri, neidia dros y balconi i'r dŵr... Un, dau... tri.'

A heb i Nico gael eiliad i feddwl, roedd Dyddgu wedi ei dynnu dros yr ochor. Y peth ola iddo'i glywed oedd gwaedd Gwydion yn gweiddi 'Naaaaa!' dros y lle a chofiodd am ei fam yn gweiddi arno yntau ar lan y llyn. Ac am yr eilwaith mewn diwrnod, aeth pobman yn ddu.

7

Cododd Nico ar ei draed yn sigledig. Roedd golau yn ffenestri Tyddyn Garw. Yn ôl ei harfer roedd Dyddgu sawl cam o'i flaen ac yn sefyll yn y cysgodion, yn cuddio'n ofalus, yn archwilio'r tŷ.

'Ro'n i'n iawn! Melangell Wyn – mae hi'n sefyll yn dy gegin di,' meddai'n bendant.

Teimlai pen Nico fel balŵn rhy lawn oedd ar fin ffrwydro ond llwyddodd i godi ei lygaid yn boenus tua ffenest cegin Tyddyn Garw. Gwelodd ei fam a'i dad yn sefyll fel dau gariad ar gerdyn Nadolig ond yna daeth mwng o wallt coch i ddifetha'r llun, a gwelodd Nico ei llygaid yn fflachio'n wyrdd.

'Mae Gwydion wedi cael ei adael ar ôl efo'r milwyr!' tuchodd Nico.

Trodd Dyddgu'n araf. Roedd golwg euog ar ei hwyneb.

'Mae Gwydion yn rhy ifanc i fod yma. Does ganddo ddim profiad o fydoedd dieithr. Mae amser yn brin ac roedd rhaid i mi ddod 'nôl i chwilio am y Cloc.'

Sylweddolodd Nico beth oedd wedi digwydd. Roedd Dyddgu wedi eu harwain i Selador er mwyn i Gwydion gael ei ddal gan y Ceidwaid. Dyna oedd y cynllun o'r cychwyn cynta! Edrychodd mewn anghrediniaeth ar Dyddgu.

'Paid poeni, chaiff o mo'i gadw'n hir. Dim ond ei ddychryn digon i beidio gwneud rhywbeth mor dwp â 'nilyn i eto!'

'Fydd o'n gallu perswadio'r Pennaeth eich bod chi 'di dod o hyd i Melangell Wyn?'

'Gobeithio. 'Swn i'n gallu gneud efo chydig o help ar y funud...' meddai Dyddgu dan ei gwynt. Anadlodd Nico'n sydyn. Oedd hi'n awgrymu nad oedd ei help o'n ddigon da? Ac fel petai hi wedi darllen ei feddwl gwaeddodd arno'n swta,

'Reit, dos i'r tŷ, meddwl am esgus da ynglŷn â lle ti wedi bod ers oriau ac yna dos i chwilio am y Cloc Tywod. Bydd *hi*'n ei wisgo am ei gwddw, fwy na thebyg. Dos.'

Ac fel anifail cuddliw, diflannodd Dyddgu i'r gwrych ger y tŷ. Roedd cymaint o gwestiynau ar feddwl Nico ond allai o ddim diodde edrych yn dwp o'i blaen hi, felly cerddodd yn ei flaen tua Tyddyn Garw.

'Mae amser yn brin, cofia,' siarsiodd y dail wrth iddo basio.

Teimlai Nico fel cymeriad mewn ffilm antur wrth gerdded drwy ddrws Tyddyn Garw. Roedd yn wan, yn flinedig ac roedd holl ddigwyddiadau'r diwrnod wedi gwneud iddo amau pawb a phopeth. Neidiodd wrth i leisiau ei fam, ei dad, Magi a Melangell Wyn weiddi mewn syndod wrth iddo ddod i'r golwg. Teimlodd freichiau fel octopws yn gafael amdano.

'Nico!' gwaeddodd yr octopws. 'Lle ti 'di bod?'

Neidiodd am yr eilwaith wrth i wyneb Magi ddod i'r

golwg o ganol y breichiau a'r dwylo i gyd, a rhoi clamp o bwniad iddo ar ei ysgwydd.

'Mae hynna am neud i ni boeni gymaint! Lle fuest ti, Nico?'

Allai Nico wneud dim ond sefyll a syllu, a phawb yn y stafell, yn enwedig ei fam, yn syllu yn ôl arno yntau'n gegrwth, yn mynnu atebion. Crwydrodd ei lygaid at y ffenest i edrych dros y llyn. Newidiodd ei ffocws fel camera digidol wrth i wyneb Dyddgu neidio i fyny o'r gwrych dan sil y ffenest, a gwelodd hi'n amneidio at ei gwddw. Y Cloc Tywod! Trodd Nico'n sydyn.

'Nico?' igiodd ei fam. 'Ges i gymaint o fraw! Mi est ti i'r llyn... ddoist ti ddim yn ôl...'

'Sori, Mam, 'nes i ddim sylweddoli...' dechreuodd Nico esbonio, wrth edrych yn wyllt o amgylch y stafell am Melangell Wyn. Roedd hi'n eistedd yn y gornel, wedi diflasu, ond doedd dim golwg o'r un gadwyn na chloc tywod am ei gwddw. Anghofiodd ddiwedd ei frawddeg a throdd at y ffenest yn sydyn ac ysgwyd ei ben yn anobeithiol ar y nos. Gwyddai fod Dyddgu'n gwylio.

'Gerallt... galwa'r doctor, mae rhywbeth... rhywbeth o'i le,' meddai Awen.

'NA!' bloeddiodd Nico, a dychryn pawb, gan gynnwys ei hun. 'Wps! Na, dwi'n iawn. Dwi'n iawn, diolch,' meddai'n llawer tawelach. 'Alla i esbonio... 'nes i ddim sylwi ei bod mor hwyr. Sori.'

Lapiodd Awen flanced amdano a sylwodd Nico ei fod mor oer â blocyn o rew. Edrychodd ar ei ddillad, gan ddisgwyl eu gweld yn glynu'n wlyb at ei groen.

Ond roedd yn sych grimp. Doedd hyn ddim yn gwneud synnwyr – roedd o newydd nofio i'r lan o grombil y llyn. Eisteddodd Magi a'i fam bob ochor iddo, yn rhwbio ei ysgwyddau. Cododd Melangell Wyn a mynd i sefyll fel delw wrth y ffenest. Gweddïodd Nico na fyddai'n gweld dim yn symud yn y gwrych. Roedd ar fin gweiddi rhywbeth i ddal ei sylw pan welodd, drwy gornel ei lygad. Roedd Dyddgu'n cropian drwy ddrws agored Tyddyn Garw! Beth oedd hi'n ei wneud? Gallai unrhyw un o'i deulu droi a sylwi ei bod hi yno! Yn ofalus, ofalus gwelodd hi'n chwilota drwy bocedi'r cotiau ar ganllaw'r grisiau.

'Oooo!' ochneidiodd Nico'n uchel a dwyn sylw pawb. Trwy'r wal o gyrff, gwelodd adlewyrchiad rhywbeth llachar yn llaw Dyddgu – goriad. Yna diflannodd drwy'r drws fel ysbryd i'r nos.

Cnoc cnoc... cnoc cnoc...

Estynnodd Nico ei law i ddistewi'r cloc larwm. Cofiodd unwaith eto fod hwnnw wedi torri. Agorodd ei lygaid. Roedd pelydrau haul canol bore yn disgleirio drwy'r hollt cul rhwng ei lenni. Roedd rhywun yn curo ar ddrws y tŷ. Clywodd lais ei fam yn siarad. Roedd hi'n codi ei llais. Neidiodd Nico ar ei draed a rhedeg i lawr y grisiau.

'Mam? Ydi Taid a Nain yn iawn?'

Roedd Awen yn eistedd ar y sil ffenest, a'i hwyneb yn

welw. Gwelodd fan goch yn gyrru i ffwrdd o flaen y tŷ. Trodd i edrych ar Nico'n flinedig.

'Ydyn. Y postman oedd yno efo neges gan dy dad. Roedd rhywun 'di torri mewn i'r tŷ neithiwr tra oedden nhw yma'n disgwyl amdanat ti. Wedi gadael coblyn o lanast. Nico, lle fuest ti?'

'Mam, fues i ddim ar gyfyl Henfaes.'

'Roedd pwy bynnag dorrodd i mewn wedi defnyddio goriad dy dad.'

Cochodd Nico wrth sylwi beth oedd wedi digwydd. Dyddgu. Cymerodd Awen fod hynny'n golygu bod Nico'n cyfadde torri mewn i'r tŷ.

'Nico... dwi'n gwybod dy fod di wedi siomi yn dy dad am ein gadael ni. Ond alli di ddim ymddwyn fel hyn! Mi fuon ni i gyd, gan gynnwys dy dad, yn poeni amdanat ti nes ein bod ni'n sâl brynhawn ddoe.'

'Mam, be ddudodd Dad? Oedd unrhyw beth penodol wedi ei ddwyn?'

Dychmygodd Nico stafelloedd Henfaes. Ble fyddai Melangell Wyn wedi rhoi'r Cloc Tywod tybed?

'Nico, paid ag esgus...'

'Mam! Deud!'

Atebodd Awen ddim, dim ond rhoi ei phen yn ei dwylo. Roedd Nico eisiau gafael ynddi i'w chysuro a'i sicrhau fod popeth yn iawn. Ond doedd popeth ddim yn iawn. Wyddai o ddim a gafodd Dyddgu afael ar y Cloc yn y tŷ neu beidio. Oedd hi bellach wedi gadael am Selador efo'r Cloc Tywod, tybed? Efallai na fyddai'n ei gweld hi eto...

'Dwi'n mynd i weld Taid a Nain!' galwodd dros ei ysgwydd, cyn rhedeg trwy'r drws a neidio ar ei feic.

'Ond be am yr ysgol?' Clywodd ei fam yn gweiddi arno'n flin drwy'r drws agored.

'Dwi wedi 'ngwahardd tan fory...' gwaeddodd Nico dros ei ysgwydd, yn falch nad oedd yn aros i dderbyn cerydd.

Pedlodd nerth esgyrn ei draed am y Bala, gan adael euogrwydd fel llwybr anweledig ar ei ôl.

Roedd dau gar y tu allan i Henfaes, ei hen gartre ar Riw'r Coleg, a'r drws ffrynt ar agor led y pen. Taflodd Nico ei feic i'r gwrych a chamu dros y trothwy.

Roedd ei dad wrthi'n troi cadair freichiau yn ôl ar ei heistedd. Edrychai'r stafell fyw fel petai cawr wedi gafael ynddi a'i hysgwyd fel dis. Roedd lluniau wedi eu taflu i'r llawr a gwydr y fframiau'n deilchion. Roedd y droriau ar agor a'u cynnwys wedi'i chwydu ohonynt. Doedd dim byd, hyd y gwelai Nico, wedi cael llonydd.

Sleifiodd heibio'i dad a dringo'r grisiau i'w hen stafell. Gwenodd wrth weld ei enw'n dal i fod ar arwydd bach pren siâp crocodeil ar y drws. Ond arhosodd y wên ddim yn hir. Pan agorodd Nico'r drws cafodd fraw. Roedd y stafell yn llawn esgidiau a bagiau, a phob math o golurach a photeli persawr

– popeth dros ei gilydd blith draphlith ar ôl ymgyrch manwl Dyddgu i chwilio am y Cloc. Yn lle posteri ceir a'i hoff fandiau ar y wal, roedd fframiau bach pren taclus o flodau. Anadlodd Nico'r aer i'w ysgyfaint, ond doedd y stafell ddim hyd yn oed yn arogli fel ei stafell o bellach. Mentrodd agor cwpwrdd yn y gornel. Roedd popeth ar y silffoedd yn daclus, wedi eu stacio mewn bocsys o'r un maint a'u labelu ag enw Nico. Cymerodd un o'r bocsys o'r silff. Roedd wedi ei selio ynghau â thâp. Agorodd y tâp a dyna lle roedd ei hen gasgliad o geir, ac ambell feiro a bathodyn, a phob math o bethau yr arferai eu cadw ar silffoedd ei stafell. Roedd ei dad wedi eu cadw'n daclus.

Eisteddodd ar y gwely, rhwng dau bâr o esgidiau â sodlau afresymol o uchel. Roedd sŵn ceir yn pasio heibio'r ffenest ac roedd rhywun yn cael ffrae ar y stryd ac yn gweiddi a rhegi ar ei gilydd. Agorodd y ffenest a daeth arogl mwg i lenwi ei ffroenau. Allai o ddim gweld yr un aderyn bach yn unlle. Er iddo ddyheu am gael dychwelyd i'w stafell ers wythnosau, penderfynodd Nico nad dyma lle roedd ei gartre bellach. Pwy sydd angen X-Box 360 neu signal ffôn pan oedd gennych chi lyn cyfan, a hwnnw'n un *hud*, i chi eich hun? Dychwelodd ei hen bethau i'r bocs, a'i gadw'n ôl yn daclus yn y cwpwrdd. Disgynnodd y grisiau'n dawel. Gwelodd ei dad yn ei gwman ar lawr yn ceisio codi darnau bach o wydr.

'Dad...?' Trodd Gerallt a gyrru golwg siomedig iawn i gyfeiriad Nico. Sylwodd fod llygaid ei dad wedi suddo ymhellach i mewn i'w ben a bod cysgodion llwyd oddi tanynt. Roedd fel petai wedi heneiddio dros nos.

'Dim rŵan, Nico. Dos adre.'

'Ond Dad...'

'DOS!'

Dychrynodd Nico. Roedd y ddau wedi bod yn ffraeo fel ci a chath yn ddiweddar ond doedd ei dad erioed wedi codi ei lais fel hyn arno o'r blaen. Gwelodd Gerallt yn cau ei lygaid yn dynn ac yn rhewi fel petai'n cyfri i ddeg. Yna, agorodd ei lygaid eto a pharhau i roi popeth yn ôl yn ei le, yn ara deg. Roedd Dyddgu wedi gwneud llanast eithriadol. Syllodd Nico ar gefn ei dad yn tacluso. Doedd dim iws dweud gair – un styfnig fu ei dad erioed.

Camodd Nico o'r tŷ. Roedd ei galon yn curo'n drwm. Ble roedd Dyddgu? A wnaeth hi lwyddo i ddod o hyd i'r Cloc? Dychmygodd hi'n diflannu i'r llyn, yn dychwelyd i Selador heb smic. Tybed fyddai hynny'n golygu y byddai Melangell Wyn yn aros yma am byth? Neu efallai fod yr hen wrach eisoes ar ei ffordd yn ôl i Selador i ddwyn y Cloc yn ôl. Oedd Dyddgu'n ddiogel?

Cerddodd am ei feic. Gwibiai ei lygaid i bob cornel a gwrandawodd yn astud ar y gwrychoedd o'i gwmpas, rhag ofn. Yn sydyn, clywodd sŵn dail yn siffrwd gerllaw. Tybed...? Symudodd yn ysgafn droed tuag at y gwrych a sibrwd,

'Dyddgu? Wyt ti yna?'

Clywodd sŵn siffrwd eto, a chamodd ymhellach i'r ardd.

'Dyddgu?'

'Nico? Be ti'n neud yma?'

Neidiodd Nico wrth i D.I. Melangell Wyn ymddangos o rywle. Roedd hi'n gwenu arno'n hy, fel petai'n sugno'r egni ohono. Fflachiodd ei llygaid arno.

'Gofynnodd Gerallt i ti adael,' meddai'n uchel cyn gostwng ei llais. 'A beth bynnag, ddoi di ddim o hyd iddi hi yn fama...'

Roedd hi'n gwybod! Teimlai Nico fel petai rhywun wedi ei gicio.

'Dod o hyd i bwy...?'

Daeth Gerallt allan drwy ddrws y patio i sefyll wrth ochor Melangell Wyn. Gafaelodd am ei hysgwydd, i'w sadio ei hun yn hytrach nag i ddangos unrhyw deimladau serchus tuag ati. Edrychai fel petai ar fin ildio i ddisgyrchiant y llawr.

Edrychodd Nico i fyw llygaid y ddau a throi i adael. Ond yna, daliodd rhywbeth llachar ci lygaid ym mhelydrau'r haul. O amgylch gwddw Melangell Wyn, yn disgleirio, yn brydferthach na dim a welsai Nico erioed o'r blaen, roedd Cloc Tywod Selador.

'Tyrd, Melangell!' meddai Gerallt. 'Gwell i ni ei throi hi am y gwaith. 'Dan ni wedi colli'r rhan fwya o'r diwrnod yn barod a does fawr o werth i Orsaf Heddlu heb heddlu!'

Anwybyddodd ei fab ac estyn ei law i Melangell Wyn. Brasgamodd y ddau i'r car ac i ffwrdd â nhw, heb edrych yn ôl. Suddodd calon Nico.

8

Doedd gan Nico ddim syniad beth i'w wneud nesa. Doedd dim golwg o Dyddgu yn Henfaes, ond ble roedd hi felly? Cofiodd am yr olwg filain ar wyneb Melangell Wyn yn y tŷ. Doedd bosib...

Eistedd yn y cartre hen bobol roedd Nico yn pendroni am hyn, ac yn hanner gwrando ar un o storïau ei daid, pan glywodd ei ffôn symudol yn cyhoeddi'n swnllyd fod ganddo neges destun.

'O na! Dwi wedi anghofio pen-blwydd Magi!' ebychodd Nico wrth ddarllen y neges oedd yn ei atgoffa o'r parti pen-blwydd.

'*Typical*, chi ddynion, yn anghofio pen-blwyddi'n dragwyddol! Cnafon!' gwaeddodd Nain dros bob man, gan golli ychydig o'r cnau adar o'i llaw grynedig.

Roedd hynny ychydig yn annheg, meddyliodd Taid, o ystyried bod Nain wedi anghofio ei enw o ers bron i bum mlynedd! Ond chwarddodd, a mynd ati i chwilio ymysg ei bethau am anrheg addas y gallai Nico ei roi i Magi. Daeth yn ôl ymhen dim â phecyn o rawnwin coch, tair hances boced a thun o fisgedi pinc. Roedd Nico wedi meddwl prynu breichled neu rywbeth neis o'r dre, ond byddai'n rhaid i anrhegion ei daid wneud y tro.

Edrychai tad Magi fel cymeriad cartŵn. Neidiai ei aeliau oddi ar ei wyneb pan siaradai, a llwyddai ei geg i agor mor fawr wrth chwerthin nes y poenai Nico y gallai lyncu'r plât oedd o'i flaen yn gyfan. Adroddai un stori ar ôl y llall fel cerbydau trên cyflym ac atseiniai ei chwerthin dwfn drwy'r tŷ gan wneud i'r popcorn yn y fowlen grynu.

Ond, er gwaetha hyn i gyd, allai Nico ddim canolbwyntio ar yr un stori. Chwarddai ar yr adegau anghywir a dechreuodd dywallt halen ar ei hufen iâ.

Yn ei feddwl, chwaraeai golygfeydd erchyll fel ffilm – dychmygodd Melangell Wyn yn dal Dyddgu, a'i chadw'n garcharor. Dyna'r unig esboniad! Felly, gyda Gwydion yn garcharor yn y Deml Dywod, a Dyddgu'n garcharor yn rhywle gan Melangell Wyn, Nico oedd yr unig un ar ôl allai ddod o hyd i'r Cloc Tywod ac achub Selador!

'Reit! Amhegion!' meddai mam Magi gan glapio'i dwylo.

'O na!' gwaeddodd Nico wrth i'r sefyllfa ddifrifol hon wawrio arno. Beth ar wyneb y ddaear roedd yn ei wneud yn eistedd fama yn bwyta jeli, a chymaint o bobol yn dibynnu arno i'w hachub?

'Ieee!' gwaeddodd Magi a Bethan, ei chwaer.

Cododd Nico ar ei draed. 'Mae'n ddrwg gen i. Rhaid i mi fynd.'

Edrychodd Magi arno'n rhyfedd a gwelodd Nico ddagrau'n llenwi ei lygaid glas.

'Lle ti'n mynd?'

'Pen-blwydd hapus!' atebodd Nico a stwffio anrhegion Taid i'w dwylo.

Roedd tad Magi mor brysur yn chwerthin ar ei stori ei hun fel na sylwodd ar Nico'n torri calon ei ferch ar ei phen-blwydd ac yna'n diflannu trwy'r drws.

Seiclodd Nico yn ôl i lawr Rhiw'r Coleg am Henfaes. Gweddïodd y byddai Melangell Wyn a'i Dad wedi gadael am eu gwaith yn yr Orsaf Heddlu bellach. Ond i wneud yn siŵr, dilynodd y llwybr hir cyn sbecian dros glawdd yr ardd. Roedd y ceir wedi mynd. Disgynnodd ei lygaid ar y sied yn yr ardd lle'r arferai gadw ei feic pan oedd o a'i fam yn byw yma. Y sied! Wrth gwrs! Estynnodd yn dawel am oriad y sied o'i fag ac aeth ar ei bedwar ar y lawnt. Gwrandawodd yn astud. Roedd y tŷ a'r ardd fel y bedd. Ymgripiodd yn araf fel crwban dros y gwair a diolch ei bod hi'n sych. Estynnodd ei oriad yn dawel at dwll y clo, a sibrwd,

'Dyddgu...?'

Deffrodd Dyddgu o drwmgwsg. Teimlai fel petai lori ludw wedi mynd dros ei phen. Caeodd ei llygaid a throi ar ei hochor i fynd yn ôl i gysgu. Sylwodd fod y llawr yn galed ac yn oer a threiddiai arogl gwair i'w thrwyn. Allai hi ddim clywed chwyrnu cyfarwydd ei mam gerllaw. Oedd hi wedi cysgu'n hwyr? Agorodd ei llygaid led y pen a chofio lle roedd hi. Cododd ar ei heistedd yn gyflym. Ar ôl dwyn y goriad o'r boced yn Nhyddyn Garw, roedd hi wedi mynd i Henfaes i chwilio am y Cloc Tywod. Ond bu'n rhaid iddi ffoi i sied Mrs Gramich drws nesa i guddio ar ôl clywed tad Nico a Melangell Wyn yn dychwelyd. Mae'n rhaid ei bod wedi cysgu ar lawr y sied drwy'r nos a'r bore. Roedd y diffyg egni o'r Cloc Tywod yn ei gwneud yn wan. Edrychodd drwy'r ffenest ac o edrych ar leoliad yr haul yn yr awyr dyfalodd ei bod tua amser cinio. Clywodd sŵn wrth ddrws y sied a rhewodd. Roedd ei holl hyfforddiant yng nghwmni Melangell Wyn a gweddill y Gwylwyr wedi ei pharatoi ar gyfer sefyllfaoedd fel hyn. Paratôdd ei hun i neidio ar bwy bynnag oedd yno ac yna, agorodd y drws...

Agorodd Nico ddrws sied gardd Henfaes a hedfanodd rhywbeth yn syth amdano. Llamodd Nico i'r llawr i'w osgoi. Diflannodd ystlum i'r awyr gan osgoi ei daro yn ei dalcen o fodfeddi. Gorweddodd Nico ar wastad ei gefn ar y llawr yn anadlu'n drwm. Oni bai am yr ystlum a'r peiriant torri gwair, roedd y sied yn wag. Lle arall allai Dyddgu fod?

Caeodd ei lygaid yn dynn a meddwl yn galed. Allai hi ddim bod yn garcharor yn y tŷ, neu byddai ei dad wedi sylwi. Roedd yr Orsaf Heddlu yn rhy amlwg, a byddai rhywun yn siŵr o fod wedi sylwi.

Meddyliodd.

Ac yna meddwl mwy.

Ac yn sydyn, daeth atgof i'w feddwl. Cofiodd am fan cudd ymhell o dan yr Orsaf Heddlu, i lawr hen risiau cerrig, yn ddwfn o dan dre'r Bala. Cofiodd y tro diwetha iddo fod yno.

Bore Llun glawog ar ddechrau gwyliau'r ysgol oedd hi bryd hynny, a Nico'n wyth mlwydd oed ac wedi gorfod dod gyda'i dad i dreulio'r dydd yn yr Orsaf Heddlu. Ar ôl chwarae tua deg gêm o Snap, a'r ffôn heb ganu unwaith, penderfynodd ei dad fynd â Nico ar antur. Estynnodd am oriad dur enfawr, ddeg gwaith maint goriad arferol, ac agorodd ddrws bach a edrychai fel rhan o'r wal garreg ym mhen pella'r Orsaf. Tu ôl i'r drws roedd grisiau yn arwain yn ddwfn i lawr i'r tywyllwch. Roedd ei dad wedi dod â fflachlamp i arwain y ffordd hirfaith i waelod y grisiau. Wedi cyrraedd y gwaelod doedd y goleuni ar dop y grisiau ond maint deg ceiniog, a thawelwch llonydd annaturiol yn llenwi'r lle. Roedd haen fas o ddŵr yn gorchuddio'r llawr ac roedd arogl hen ogof yno. Cofiai Nico'r arswyd a deimlai o sefyll yn y seler dan yr Orsaf, a'i dad yn dweud,

'Mae twnnel o'r fan hyn yr holl ffordd i waelod y tŵr sy'n sefyll yn Llyn Celyn! Ryw ddiwrnod, mi ddown ni â mwy o lampau a cherdded yr holl ffordd i'r pen draw. Fe allwn ni weiddi'n uchel tuag at Tyddyn Garw. Ella y bydd Nain a Taid yn gallu'n clywed ni!'

Allai Nico ddim meddwl am ddim byd gwaeth na cherdded drwy dwnnel tywyll du yr holl ffordd at Dyddyn Garw ond gwenodd i geisio plesio ei dad. Roedd dwy gell yn y seler, lle'r arferai'r carcharorion gwaetha gael eu cadw tan eu hachos llys ar sgwâr y dre. Roedd rhes hir o gypyrddau ffeilio yn y seler hefyd, wedi eu codi oddi ar y llawr ar blatfform pren o afael y dŵr.

'Dyma lle mae'r adroddiadau cudd yn cael eu cadw! Dyma lle mae'r holl dystiolaeth am fodau arallfydol, UFOs a phethau anesboniadwy sydd wedi digwydd dros y degawdau. Cŵl 'dê?'

Wyddai Nico ddim ai tynnu ei goes oedd ei dad neu beidio. Erbyn hynny, roedd y seler wedi dechrau codi ofn gwirioneddol ar Nico. Sylwodd ei dad ei fod wedi dechrau crynu.

'Ein cyfrinach ni'n dau ydi'r lle yma, Nico! Iawn?'

Ond roedd hynny flynyddoedd yn ôl. Doedd Nico a'i dad ddim yn rhannu cyfrinachau bellach, meddyliodd yn chwerw. Mae'n rhaid fod ei dad wedi dangos y seler i Melangell Wyn hefyd. Wrth gwrs! Byddai hynny'n esbonio sut iddi hi lwyddo i gyrraedd glan y llyn mor gyflym yn dilyn y ffrwydrad dan y dŵr. Roedd hi wedi rhedeg drwy'r twnnel.

Teimlodd Nico lwmp yn ei wddw. Doedd o ddim yn siŵr ai oherwydd bod ei dad wedi dangos y llecyn cyfrinachol i Melangell Wyn, neu oherwydd ei fod yn dychmygu Dyddgu'n gaeth mewn lle mor erchyll. Byddai'n rhaid iddo ddychwelyd i'r seler. Ond yn gynta byddai'n rhaid meddwl am ffordd gredadwy o gael ei dad a Melangell Wyn i adael yr Orsaf Heddlu...

Agorodd Dyddgu gil drws y sied a dychryn am ei bywyd. O'i blaen, safai'r creadur hyllaf iddi hi *erioed* ei weld, yn cynnwys y bwystfilod-pen-siarc milain. Yng nghil y drws gwelodd hen wreigan mor grychlyd nes iddi ei chamgymryd am eiliad am eliffant bychan. Roedd ei dannedd gosod yn rhy fawr i'w cheg, a'i sbectols pot jam yn gwneud i'w llygaid edrych fel peli golff. Edrychai tua dau gant oed ac roedd ei chefn mor grwm nes bod ei thrwyn bron â phwyntio yn ôl tuag at ei botwm bol. Ond er gwaetha'i henaint, roedd ganddi gyhyrau fel paffiwr proffesiynol yn ei breichiau, ac uwch ei phen daliai frwsh llawr yn barod i daro unrhyw dresbaswr i'r byd nesa. Saethodd llygaid Dyddgu i bob cyfeiriad i edrych am ddihangfa, ond doedd dim. Yr unig ffordd y gallai ddianc o'r sied oedd heibio'r hen wraig.

Yna daeth sŵn clec uchel a sŵn gwydr yn torri'n deilchion. Gollyngodd yr hen wraig ei harf ar unwaith a throi i edrych ar ffenest y parlwr gorau.

'Fandaliaid!' gwaeddodd, a dechrau rhegi mewn iaith ddieithr. Rhedodd yn igam ogam am y tŷ, gan anghofio am y carcharor yn y sied.

Diolchodd Dyddgu i ba bynnag wyrth a'i hachubodd o'r sefyllfa gas gyda'r brwsh llawr, a sleifiodd o'i chuddfan yn dawel.

'Dwi'n galw'r heddlu!' bytheiriodd Mrs Gramich drws nesa o'r ardd. Jacpot! meddyliodd Nico, er ei fod yn teimlo'n euog braidd am dorri ffenest parlwr hen wraig. Ond roedd Mrs Gramich wedi ei gael yntau i drwbwl fwy nag unwaith. Ac roedd hyn yn argyfwng.

Neidiodd dros wal gardd Mrs Gramich yn dawel, a gwibio i lawr yr allt ar ei feic.

Eiliadau wedyn, sleifiodd Dyddgu dros union yr un wal. Ond, yn anffodus, ni welodd yr un or ddau mo'i gilydd, neu mi fyddai'r bennod hon wedi gorffen yn llawer hapusach…

Tecwyn oedd wrth y dderbynfa pan gerddodd Nico i'r Orsaf Heddlu ac roedd wrthi'n chwythu ei drwyn mewn i hances boced maint tywel fel petai'n offeryn pres.

'Helô, Nico bach. AAAATISHW!' meddai Tecwyn.

'Helô, Tecwyn, sut dach chi?'

'Ddim yn rhy dda, 'machgen i. Mae gen i ryw annwyd cas. Wedi dod i chwilio am dy dad wyt ti? Mae gen i ofn ei fod o newydd gael ei alw allan ar alwad frys.'

Allai Nico ddim cofio adeg pan nad oedd gan Tecwyn ryw anhwylder.

'Hen dro! Ga i aros yma efo chi nes y daw o'n ôl?'

Eisteddodd Nico efo Tecwyn, gan wyro ei ben yn

sydyn bob tro y byddai'n tisian i osgoi'r dafnau bach
o wlybaniaeth ar ei wyneb. Edrychodd am y cwpwrdd
goriadau ond allai o wneud dim am y tro. Ymhen tipyn,
ac er mawr ryddhad i Nico, cododd Tecwyn i nôl mwy
o ffisig.

'Alli di warchod y ffôn am ddau funud nes y bydda
i'n dod yn ôl?'

Yr eiliad roedd Tecwyn wedi troi'r gornel, neidiodd
Nico ar ei draed a brysio at y cwpwrdd goriadau. Roedd
yn hawdd dod o hyd i oriad drws y seler oherwydd ei
maint. Cipiodd fflachlamp ar ei ffordd o'r dderbynfa
a rhedeg i gefn yr Orsaf tuag at ddrws cudd y seler.
Clywodd Tecwyn yn tisian o'r gegin cyn mwmial dan
ei anadl,

'Ble aeth Nico rŵan eto?'

Caeodd Nico'r drws ar ei ôl yn dawel a dechrau disgyn
y grisiau'n araf. Daeth arogl tamp y lle ag atgofion cryf
yn ôl o'r trip cynta hwnnw gyda'i dad. Roedd y grisiau'n
llithrig ac roedd yn rhaid iddo blygu ei ben i osgoi ei
daro yn erbyn y to. Rhifodd y grisiau i geisio cuddio'r
ofn oedd yn bygwth ei lyncu.

'Cant a thair... cant a phedair... a dyna ni.'
Cyrhaeddodd y gwaelod ac anadlu'r aer stêl i'w
ysgyfaint.

'Dyddgu...?' sibrydodd. Roedd mwy o ddŵr ar waelod
y seler y tro hwn a theimlodd Nico'r gwlybaniaeth oer
yn gwlychu trwy ei esgidiau. Pwyntiodd ei fflachlamp
i mewn i'r gell gynta. Doedd dim yno ond gwe pry cop.
Llusgodd ei draed ymlaen i'r ail gell ond roedd honno

ar gau. Roedd rhywbeth yn y gornel. Daliodd ei wynt a throi ei fflachlamp i oleuo'r ffigwr, ac yna clywodd sŵn chwerthin cras. Roedd y sŵn yn dod o'r twnnel y tu ôl iddo. Sylwodd ei fod yn pwyntio fflachlamp at hen sach wlyb. Doedd Dyddgu ddim yno. Adleisiodd y sŵn chwerthin drwy'r twnnel – roedd ysbrydion hen bentre Capel Celyn wedi dod i'w boenydio! Chwifiodd ei fflachlamp o amgylch y seler unwaith eto ar frys i wneud yn siŵr nad oedd Dyddgu'n anymwybodol mewn cornel neu'r tu ôl i gwpwrdd ffeiliau. Dim byd. Y syniad gorau oedd dianc yn bwyllog a thawel tua'r grisiau ond penderfynodd ei goesau ddechrau rhedeg a chlywodd ei lais ei hun yn gweiddi 'Waaaa!' dros y lle. Gallai weld y drws ar dop y grisiau ac er bod yr ofn yn bygwth ei fygu, allai o ddim peidio â dwyn cip y tu ôl iddo wrth i'r chwerthin lenwi'r seler gyfan â'i falais.

Ond doedd dim ysbrydion cas, dim ond Melangell Wyn yn sefyll yn hamddenol, a'r Cloc Tywod ar gadwyn yn ei llaw yn chwifio yn ôl a blaen fel pendil.

'Nico Morgan! Pwy fyddai'n meddwl y bydden ni'n cwrdd mewn lle mor anghysbell? Be 'di'r brys?'

Daeth Nico i stop ar y grisiau. Doedd wyneb Melangell Wyn ddim yn gwneud iddo deimlo'n llawer gwell na phe bai wedi gweld llond seler o ellyllon. Ond dychmygodd Dyddgu yn y sefyllfa hon. Fyddai hi ddim yn rhedeg i ffwrdd. Byddai'n rhaid iddo beidio â bod yn gymaint o gachgi. Syllodd ar y Cloc Tywod yn siglo, fel petai Melangell Wyn yn gonsuriwr yn ceisio'i hypnoteiddio. Dyma'i gyfle i'w gipio ac achub Selador.

A fyddai'n gallu teithio drwy'r porth hud yn y dŵr ar ei ben ei hun, tybed?

Tra oedd yn meddwl am hyn i gyd, daeth Melangell Wyn yn nes ac yn nes, fel petai'n ei herio i geisio dwyn y Cloc.

'Dyma dy gyfle di i blesio Dyddgu!' chwarddodd Melangell Wyn eto a'i llais yn adleisio drwy'r ogof. Cerddodd Nico i lawr un ris ar y tro tuag at Melangell Wyn a'i thrysor. Gafaelodd yn dynn yn y fflachlamp yn ei law a gwelodd y twnnel du'n nadreddu o'i flaen. Doedd dim amheuaeth ganddo na fedrai redeg yn gynt na Melangell Wyn – roedd bron droedfedd yn dalach na hi. Roedd adrenalin yn llenwi ei wythiennau a theimlai fel petai'n gallu gwneud unrhyw beth.

'Lle mae hi?'

'Ha! Dydi'r gnawes ddim wedi dod o hyd i mi eto, sy'n rhyfedd, o ystyried ei bod wedi cael ei hyfforddi gan y Gwyliwr gorau yn hanes Selador! Ond dau funud fyddai hi'n cymryd i mi gael gwared â'r hen drwyn bach, busneslyd...'

Neidiodd llaw Nico allan fel tafod broga ond cyn iddo gael ei fysedd am y Cloc hudol, roedd Melangell Wyn wedi codi ei braich. Doedd Nico ddim wedi sylwi ar y garreg drom yn ei dwrn a theimlodd ei glust yn llosgi wrth i'r ergyd daro ochr ei ben, cyn iddo ddisgyn yn anymwybodol i'r dŵr.

9

Safai Gwydion ar ddwy goes sigledig o flaen y Pennaeth. Doedd o ddim wedi cysgu winc y noson gynt ar ôl cael ei daflu i gell yn y Deml Dywod. Sut gallai o fod wedi bod mor dwp â dilyn Dyddgu? A chael ei 'arestio' gan y Ceidwaid melltigedig? Roedd yn flin â'i hun ac yn flin â Dyddgu am ei dwyllo, ac yn fwy na dim roedd yn flin â'r Pennaeth am wastraffu amser.

'Dwi'n dweud wrthoch chi! 'Dan ni wedi dod o hyd i Melangell Wyn! Pam nad ydych chi'n gwrando arna i?'

'TAWELWCH!' bloeddiodd y Pennaeth, yn fwy blin nag arfer, gan fod bachgen a oedd fel arfer yn rhy ifanc i gael dod i mewn i'r Deml Dywod, yn gweiddi arno o flaen ei Gyngor. Gwgodd wrth weld ei Ysgrifennydd yn cofnodi manylion y ddrama yn y cofnodion swyddogol.

Edrychai'r Pennaeth yn llawer hŷn na'r lluniau ohono ar y stampiau, meddyliodd Gwydion. Roedd diflaniad y Cloc Tywod wedi effeithio ar bawb, hyd yn oed y bobol bwysig yn Selador.

'Oes gen ti unrhyw syniad cymaint o ffŵl mae dy chwaer wedi ei wneud ohona i?' gofynnodd y Pennaeth, heb ddisgwyl ateb. Efallai fod ei wallt wedi dechrau britho ond doedd y pŵer yn ei lais ddim wedi pylu, meddyliodd Gwydion.

'Mae Selador gyfan yn gwybod mai prentis i

Melangell Wyn oedd Dyddgu! A dweud y gwir, mi ges i helynt mawr gan y Cyngor am beidio â gwahardd Dyddgu a Thîm B pan ddiflannodd Melangell Wyn efo'r Cloc Tywod yn y lle cynta. Mae'r cyhoedd am fynd yn wyllt *gacwn* pan ddown i wybod am y datblygiad diweddara.'

'Mae Dyddgu'n ddieuog,' ysgyrnygodd Gwydion drwy'i ddannedd. Roedd yn flin iawn â'i chwaer ond allai o ddim diodde gweld y Pennaeth yn ei chyhuddo hi ar gam, a hithau ddim yno i'w hamddiffyn ei hun.

'Dieuog? HA! Mae hi wedi torri pob rheol! Neidio drwy'r dŵr i dir arall heb gefnogaeth ei thîm, heb ganiatâd, ganol nos! Heb sôn am fynd â thi gyda hi – bachgen heb hyfforddiant na phrofiad na thrwydded i neidio i nunlle! Mae hi'n gwbwl euog!'

Edrychodd Gwydion ar y ddau Geidwad bob ochr i'r Pennaeth gan obeithio y byddai un ohonyn nhw'n dweud rhywbeth call. Ond ymddangosai mai'r unig beth y gallai'r ddau ei wneud oedd cytuno â'r Pennaeth. Ystyriodd Gwydion y sefyllfa. Roedd yn rhaid iddo fod yn fwy cyfrwys na hyn.

'Does ganddoch chi ddim syniad ble i chwilio nesa ac mae pob diwrnod arall heb y Cloc Tywod yn ergyd i Selador. Os nad ydych chi'n fy nghredu i, pam na yrrwch chi *un* tîm bach i wneud yn siŵr? Os daw'r tîm yn ôl yn waglaw, yna fe gewch i fy nghrogi ar sgwâr y pentre fory nesa.'

Disgwyliai Gwydion y byddai hyn yn syfrdanu'r

Pennaeth ond dechreuodd hwnnw chwerthin dros y lle.

'HAHA! Go dda, fachgen. Does neb wedi ei grogi yn Selador ers dros dri chan mlynedd a dydw i ddim yn meddwl ei bod hi'n amser rhy dda i ailgychwyn y traddodiad, o ystyried yr amgylchiadau. Dwi'n gwybod be ydi dy gynllun di. Rwyt ti am i ni yrru tîm i hebrwng dy chwaer adre! Ond mi gaiff hi aros ym mhle bynnag mae hi. Hi gafodd ei hun i'r picl yma ac mi all gael ei hun allan ohono hefyd.'

Teimlai Gwydion ei hun yn dechrau poeni – doedd y Pennaeth ddim yn credu gair.

'Ond beth am y bachgen ddaeth efo ni i Selador?'

'Pa fachgen?' holodd y Pennaeth y Swyddogion wrth ei ochr. Dechreuodd un chwilio drwy'r cofnodion yn gyflym.

'Ymm, ie, syr. Mae cofnod yma o fachgen gwallt golau yn dianc efo Dyddgu Dwyfor. I ddechrau, roedden ni'n credu mai'r brawd oedd o, ond... wel, dyma fo fan hyn.'

Manteisiodd Gwydion ar dawelwch y Pennaeth i geisio esbonio.

'Nico ydi enw'r bachgen...'

'Dyna ddigon!' Roedd golwg flin iawn ar wyneb y Pennaeth. 'Alla i ddim dy gadw di yn y Deml Dywod. Rwyt ti dan oed. Ond mi fydda i'n gofalu na fyddi di'n cael mynd i unman hyd nes bydd y Cloc Tywod yn ôl yn ei le. Dwi'n gyrru un o fy ngheidwaid gorau i warchod drws dy gartre, felly paid hyd yn oed meddwl am ddianc.'

Aeth ias i lawr cefn Gwydion wrth ddychmygu bod yn sownd rhwng pedair wal a dim ond arthio a chwyno ei fam yn gwmni iddo.

'Soniodd aelod o'r Cyngor dy fod di'n awyddus i fod yn Wyliwr rhyw ddydd?'

'Ydw, syr,' ychwanegodd Gwydion yn betrus.

'Wel, gei di anghofio'r freuddwyd honno'r funud yma! Mi wna i'n siŵr na fyddi di'n troedio dros drothwy'r Deml Dywod fyth eto.'

Roedd yn gas gan Dyddgu gyfadde bod angen help arni ond roedd angen Nico arni. Ar ôl methu dod o hyd i'r Cloc Tywod yn Henfaes, roedd hi wedi penderfynu mai'r unig opsiwn arall oedd defnyddio Gerallt, tad Nico, rywsut. Allai hi ddim dychmygu pam y byddai'n ei helpu. Gallai unrhyw ffŵl weld fod Melangell Wyn â'i gwallt tanllyd a'i llais melfedaidd wedi bwrw ei swyn arno. Yr unig un allai gystadlu am ei sylw oedd Nico, ei unig fab. Roedd yn rhaid iddi ddod o hyd i Nico.

Ar ôl dianc o sied Mrs Gramich, cerddodd Dyddgu i lawr Rhiw'r Coleg at yr ysgol. Ond doedd dim golwg o neb ar yr iard ac roedd y ffenestri'n dywyll. Roedd yr ysgol wedi cau. Dyna od, meddyliodd. Mae'n rhaid nad oedd plant ar y Ddaear yn treulio llawer o amser yn yr ysgol. Yr unig le arall allai hi ddychmygu dod o hyd i Nico oedd adre yn Nhyddyn Garw. Ond roedd fan'no mor bell! Dechreuodd loncian yn ôl i fyny'r allt.

Wrth basio'r gerddi blodau lliwgar ar y ffordd i fyny, a chlywed chwerthin hapus y plant drwy gil y ffenestri agored, meddyliodd Dyddgu tybed sut stad oedd ar Selador bellach. Oedd ei mam yn iawn? Faint o helynt oedd yn disgwyl Gwydion yn y Deml Dywod? Roedd hi'n ffyddiog y byddai'n dal ei dir ac yn eu perswadio i ddod i chwilio amdani. Gobeithio. Doedd ganddi ddim amheuaeth na fyddai hi'n llwyddo i gael gafael ar y Cloc Tywod ond roedd yn rhaid iddi gyfadde y byddai ychydig o help llaw yn handi.

'HOI!' Clywodd rywun yn gweiddi a hedfanodd rhywbeth tebyg i ddarn o gacen sbwnj heibio ei phen, a'i methu o fodfeddi. Anwybyddodd y floedd a gwenodd o gofio'r mân gweryla rhyngddi hi a Gwydion yn ôl yn Selador. Roedd hi wedi taflu tipyn mwy na darnau o gacen ato yn ei thymer!

'Hoi, dwi'n siarad efo ti!' meddai'r llais eto, a sylwodd Dyddgu mai siarad â hi roedd y llais, wrth i lwyaid o jeli coch ei tharo yng nghefn ei phen. Dyna lle roedd Magi yn sefyll yn un o'r gerddi blodau del a golwg gandryll ar ei hwyneb. Yn nhraed ei sanau, martsiodd mor agos at Dyddgu nes y gallai glywed arogl y gacen ben-blwydd ar ei hanadl.

'Mae Nico wedi bod yn ymddwyn yn od ers i ti a dy gi bach gerdded i'r dosbarth. Fy nghariad *i* ydi o. 'Dan ni wedi bod efo'n gilydd ers Blwyddyn 7 a dydw i ddim yn mynd i adael i ti gael dy fachau budron arno fo, hyd yn oed oes wyt ti'n dalach na fi!'

Pwten fach oedd Magi a edrychai'n debyg i Elen

Benfelen o stori'r tair arth. Fyddai hi byth fel arfer yn mentro codi ei llais a byddai bob amser yn rhesymol a theg. Ond ar ôl gweld Dyddgu yn llygadu ei chariad yn y dosbarth cofrestru, teimlai fel petai switsh golau wedi'i gynnau ynddi ac, yn sydyn, gallai wgu a gweiddi cystal â neb.

Yn wahanol i wyneb perfformio-cerdd-dant Magi, anaml iawn y byddai Dyddgu'n symud yr un cyhyr yn ei hwyneb. Prin iawn oedd y rhai a welodd hi'n gwenu erioed.

'Pen-blwydd hapus,' meddai Dyddgu'n fflat, heb herio'r un o osodiadau Magi.

'Nico ddudodd wrthat ti? Dach chi 'di bod yn siarad amdana i tu ôl i 'nghefn i!'

Roedd bochau Magi'n fflamgoch erbyn hyn ac edrychai fwyfwy fel cymeriad o chwedl dylwyth teg.

'Na,' atebodd Dyddgu. 'Mae gen ti fathodyn yn dweud *Birthday Girl* ar dy ffrog.'

'O, reit...' meddai Magi mewn embaras. 'Lle mae Nico?'

'Ro'n i ar fin gofyn yr un cwestiwn i ti...'

'Pam wyt *ti*'n chwilio amdano fo?' gofynnodd Magi'n gyhuddgar.

'Mae hynny'n gyfrinach,' atebodd Dyddgu, i wylltio Magi yn fwy na dim.

Sgrechiodd Magi dros y lle a meddyliodd Dyddgu ei bod yn edrych fel hogan fach wedi cael ei sbwylio'n rhacs.

Eisteddai Gwydion ar falconi ei gartre, yn taflu cerrig mân i'r llawr oddi tano. Roedd y llanw allan ac eisteddai un o'r Ceidwaid ar gadair haul ar waelod yr ysgol yn gofalu nad âi Gwydion i *unman*. Ond doedd Gwydion ddim eisiau mynd i unman, beth bynnag. Yn ogystal â'r blinder mawr a deimlai pawb yn sgil colli'r Cloc Tywod, roedd yr haul llethol yn golygu na fedrai neb symud cam. Diddanai Gwydion ei hun drwy wylltio'r Ceidwad oddi tano. Taflai'r cerrig mân fel eu bod yn glanio o'i flaen, a'i ddychryn bob tro y dechreuai hepian cysgu. Roedd y Ceidwad yn dechrau rhostio'n goch ym mhelydrau'r haul a dychmygodd Gwydion sticio fforc ynddo i weld a oedd yn barod i'w fwyta! Chwarddodd wrtho'i hun a gwaeddodd y Ceidwad arno,

'Pam wyt ti'n chwerthin?'

'Dim rheswm, syr!' atebodd Gwydion gan geisio stopio chwerthin.

Roedd ei fam yn cysgu yng nghysgod y caban – byddai'n cysgu drwy'r rhan fwya o'r dydd bellach. Yn ogystal â bod yn wan a diegni, credai Gwydion ei bod yn cysgu i anghofio am Dyddgu. Byddai pob poen a phryder yn diflannu pan gysgai. Fe ddeffrai deirgwaith bob dydd am gyfnod i fwyta ychydig. Roedd hi wedi colli wmff yn llwyr. Hiraethai am ei chlywed yn gweiddi arno i gadw ei ddillad, neu i frysio gyda'i phaned!

Roedd yr haul yn machlud yn ara deg ac, yn raddol

bach, cododd y ddau leuad i gwrdd â'i gilydd yn yr awyr, a charlamodd y llanw i mewn fel gyrr o geffylau gwyllt. Dringodd y Ceidwad trwm i fyny'r ysgol raff, a synnai Gwydion fod yr ysgol lipa'n gallu dal y bustach yma o ddyn heb dorri.

'Unrhyw helynt, ac mi ddefnyddia i hwn!' meddai'r Ceidwad gan ysgwyd ei wn yn fygythiol dan drwyn Gwydion.

Llifodd yr oriau heibio'n araf fel mêl yn diferu oddi ar lwy oer. Oherwydd chwyrnu uchel y Ceidwad tew, roedd Gwydion eisoes yn effro pan glywodd sŵn rhyfedd o dan y caban. Roedd rhywbeth yn rhwbio yn erbyn y llawr pren. Beth allai o fod? Aeth â'i drwyn yn nes at ffynhonnell y sŵn ac yn sydyn saethodd llif drwy'r llawr, a methu ei ben o fodfeddi yn unig. Ymhen dim roedd perchennog anweledig y llif wedi torri cylch perffaith yn llawr pren y caban. Roedd y tawelwch ar ôl sŵn y llif yn fyddarol. Yna, a'r llawr â thwll siâp het gylch berffaith, daeth Huwi, Arweinydd Tîm B drwy'r llawr a chodi ei hun i fyny i'r caban yn dawel.

'Gwydion! 'Dan ni wedi dod i dy achub di!' sibrydodd Huwi. Waw! Roedd hyn fel pennod gyffrous o'r Gwylwyr ar y teledu! Edrychodd Gwydion drwy'r twll yn y llawr a dyna lle roedd gweddill Tîm B mewn cwch yn chwifio arno. Y ddau Sam, a ffigwr mawr dieithr. Mae'n rhaid fod rhywun wedi cymryd lle Melangell Wyn neu Dyddgu ar y tîm, meddyliodd Gwydion. Roedd wedi edmygu'r Gwylwyr ers pan oedd yn blentyn. Doedd o erioed wedi methu'r rhaglen wythnosol ar y teledu ac roedd ei gwpwrdd yn llawn cylchgronau'n adrodd eu hanes.

'Mae'n rhaid i ni fod yn gyflym,' meddai Huwi. 'Mae'r Ceidwaid yn cadw llygad barcud arnon ni i gyd...'

'Mae'r Ddaear draw fan'cw,' pwyntiodd Gwydion at ddarn o ddŵr. 'Chwiliwch am fachgen o'r enw Nico. Mae'n byw yn y tyddyn bach cam ar lan y llyn. Fydd Dyddgu ddim yn bell oddi wrtho.'

'Wyt ti'n dod?' meddai Huwi.

Oedodd Gwydion am eiliad cyn ateb yn benderfynol, 'Na, well i fi aros yma. Dyna fyddai Dyddgu'n ei ddweud...'

Nodiodd Huwi'n garedig a gosod y darn o bren roedd newydd ei dorri o'r llawr yn nwylo Gwydion.

'Call iawn. Welwn ni di pan welwn ni di!' Neidiodd Huwi i'r dŵr a diflannodd arwyr Gwydion i'r môr bob yn un a'i adael yntau ar ôl.

10

Agorodd Nico ei lygaid ac yna ceisiodd eu hagor eto,
ond sylweddolodd nad ei lygaid oedd ar fai – roedd
hi mor dywyll fel na fedrai weld blaen ei drwyn hyd
yn oed. Wrth iddo ddod ato'i hun, sylwodd ar y poen
annioddefol yn ei ben. Glynai ei ddillad gwlyb wrth
ei gorff a sylwodd ei fod yn gorwedd ar y llawr yng
nghanol pwll o ddŵr oer. Am ba hyd y bu'n gorwedd
yma, tybed? Ymbalfalodd am y fflachlamp ar y llawr
ond allai o ddim teimlo dim byd ond dŵr a waliau cerrig
rhynllyd. Daeth ei law o hyd i lwyfan bach concrit yn
un o gorneli'r gell, a chododd ei hun i eistedd arno i
osgoi'r llawr gwlyb.

Yn ei garchar o dywyllwch dechreuodd ddychmygu
pob math o bethau. Oedd ysbrydion yma, tybed? Hen
garcharorion yn chwilio am rywun i ddial arnyn nhw?
Neu rai o bentrefwyr Capel Celyn yn dod i chwilio am
rywun i'w gosbi? Dechreuodd grynu, a gallai glywed
ei ddannedd yn clecian yn erbyn ei gilydd fel chwilod
duon.

Cofiodd yn sydyn am ei ffôn. Estynnodd i'w boced
amdano'n wyllt a phwyso botwm, gan hanner disgwyl
fod y dŵr wedi ei ddifetha. Dychrynodd wrth i'w olau
llachar drywanu ei lygaid a theimlodd y cur yn ei ben yn
gwaethygu. Roedd yn gweithio! Ond edrychodd yn fwy
gofalus – dim signal. Fyddai'r un ffŵl wedi dychmygu
dod o hyd i signal mor ddwfn o dan ddaear ond cododd

Nico ar ei draed a chwifio'r ffôn yn yr awyr. Ond doedd dim iws. Wrth symud o fan i fan yn chwilio am signal, gwelodd Nico yng ngolau'r ffôn pa mor ddifrifol oedd ei sefyllfa. Tra oedd yn anymwybodol, roedd Melangell Wyn wedi ei lusgo i un o'r celloedd ac wedi ei gloi yno. Gafaelodd yn y clo a'i ysgwyd yn galed. Ond roedd Nico'n garcharor.

Dechreuodd gynhyrfu a golchodd tonnau o banig drosto fel llanw Selador, nes golchi drosto'n llwyr a dechrau ei foddi. Gallai glywed ei lais ei hun yn gweiddi dros y lle fel petai'r sŵn yn dod o bell, ond hyd yn oed ac yntau o'i gof fe wyddai nad oedd posib i neb ei glywed.

Safai Awen ar riniog Tyddyn Garw yn edrych draw am y tŵr a godai o'r llyn o'i blaen. Gwelodd ddegau o adar duon yn codi oddi arno'n un haid fel petai rhyw sŵn o'i grombil wedi eu dychryn. Anadlodd yn drwm. Roedd hi wedi blino. Teimlai y gallai gysgu tan y Nadolig.

Doedd dim golwg o Nico a hithau'n hwyrhau erbyn hyn. Credai i ddechrau ei fod yn nhŷ Magi yn dathlu ei phen-blwydd ond awr yn ôl roedd Magi a rhyw hogan od wedi dod i'r tŷ i chwilio amdano. Gwyddai Awen fod gwahanu oddi wrth Gerallt a symud i Dyddyn Garw, ymhell o bob man, wedi cael effaith ar Nico. Ond roedd wedi ymddwyn mor aeddfed tan rŵan. Bu Nico'n brysur yn gweithio i drwsio'r hen ddyddyn a phalu a phlannu yn yr ardd, a gwneud yn siŵr ei fod yn ceisio codi calon ei fam bob cyfle gâi. Fo oedd yr un cryf o'r ddau, tra oedd hithau wedi cuddio yn ei gwely am ddyddiau ar y tro. Teimlai Awen yn euog. Efallai mai dyna pam roedd Nico'n ymddwyn mor od – roedd wedi cael llond bol ar edrych ar ei hôl hi.

Cerddodd yn ôl i'r tyddyn lle roedd Dyddgu a Magi un bob pen i fwrdd y gegin, yn edrych ar ei gilydd fel dau baffiwr cyn gornest. O'r diwedd, cododd Dyddgu gan wneud i'r gadair wichian yn swnllyd ar lawr y gegin.

'Dwi'n mynd.'

'I ble?' galwodd Magi arni. 'Lle wyt ti'n byw?'

'Fydde'n rhaid i mi dy ladd di pe byddwn i'n cyfadde hynny...' atebodd Dyddgu gyda'r olwg ddifrifol arferol ar ei hwyneb. Agorodd llygaid Magi'n fawr mewn dychryn.

'Jôc,' meddai Dyddgu'n sych, gan gerdded o'r tŷ heb ffarwél. Syllodd Awen a Magi ar ei hôl am eiliad ond ni allent wneud pen a chynffon o'r hogan ddieithr. Ysgydwodd Magi ei phen fel ci yn cael gwared ar chwain.

'Reit, be nesa?'

Doedd Awen ddim eisiau gweld Melangell Wyn o gwbwl ond roedd yn rhaid gwneud rhywbeth. Roedd Nico wedi diflannu ac efallai y byddai Gerallt yn gwybod lle roedd o.

'Ty'd. Awn ni draw i Henfaes i chwilio amdano fo.'

Neidiodd Awen a Magi i'r car ac i ffwrdd â nhw tua'r Bala. Penderfynodd Dyddgu aros yng nghyffiniau Tyddyn Garw, rhag ofn y byddai Nico'n dod yn ei ôl. Eisteddodd yn y cysgodion yn ystyried pa gamau i'w cymryd nesa. Tra oedd hi'n pendroni, teimlodd gryndod dan ei thraed, yn tyfu'n raddol nes ei bod yn cael trafferth sefyll ar ei thraed. Gwibiodd ei llygaid craff draw am y llyn. Roedd rhywbeth yn goleuo dan y dŵr.

'O na!' mwmiodd wrth i belen o ddŵr poeth saethu i'r awyr uwch ei phen tua'r lleuad. Ddeg eiliad yn ddiweddarach, disgynnodd cawod o ddŵr cynnes ar ei phen. Camodd o'i chuddfan i'r cae mawr agored o'i blaen a gwrando. Ond roedd pobman yn dawel. Roedd rhywun yn chwarae triciau arni.

'Gwydion?' galwodd yn uchel ac yn flin a'i llygaid yn gwibio dros y glannau.

'Bw!' meddai llais tu ôl i'w chefn. Trodd Dyddgu, a gwg enfawr ar ei hwyneb, yn barod i roi llond pen i'w brawd am feiddio dychwelyd. Ond rhewodd y geiriau yn ei cheg. Yno, o'i blaen, yn wal o awdurdod, roedd y Pennaeth.

Anadlodd Awen ochenaid o ryddhad o weld nad oedd Melangell Wyn adre. Ond suddodd ei chalon ar ôl dod i wybod nad oedd Nico wedi bod yn Henfaes ers ben bore.

'Wedi diflannu eto?' meddai Gerallt, yn difaru gweiddi mor gas ar ei fab yn gynharach y bore hwnnw. 'Wyt ti wedi ffonio Bron y Graig i weld ydi o efo Taid a Nain? Be am ei ffôn symudol?'

'Do, siŵr!' atebodd Awen, yn flin fod ei chyn-ŵr yn gofyn cwestiynau mor dwp. 'Ti ydi'r plismon! Alli di'm hel pobol allan i chwilio amdano fo?'

'Mae'n rhy gynnar eto. Mi alwa i draw i'r Orsaf i wneud ychydig o alwadau. Mi ffonia i os bydd unrhyw ddatblygiadau, a ffoniwch chithe os daw o i'r golwg.'

'Atishwwww!' meddai Tecwyn wrth i Gerallt gerdded drwy ddrws yr Orsaf. Doedd dim golwg o Melangell Wyn. Mae'n rhaid ei bod allan ar alwad, meddyliodd Gerallt.

'Tecwyn, alli di roi galwad i'r holl swyddogion heddlu sydd ar ddyletswydd i ofyn a oes unrhyw un wedi gweld Nico?'

'Nico! 'Nes i anghofio sôn. Mi fuodd o yma yn chwilio amdanat ti. Ond yna mi ddiflannodd i rywle.'

'Fuodd o *yma*? Oes gen ti unrhyw syniad i ble'r aeth o?'

Ond doedd gan Tecwyn ddim clem. Cododd y ffôn i wneud y galwadau rhag ofn fod rhywun yn y cyffiniau wedi ei weld.

Roedd hyn yn rhyfedd, meddyliodd Gerallt. Doedd

Nico ddim wedi bod eisiau siarad ag o ers misoedd, a rŵan roedd yn dod i chwilio amdano ddwywaith mewn un diwrnod. Tybed oedd Nico'n trio dweud rhywbeth wrtho? Teimlai'n euog ofnadwy am orymateb y bore hwnnw yn Henfaes, ond roedd cega di-baid Melangell Wyn am y llanast yn y tŷ wedi ei roi mewn tymer ddrwg.

Sylwodd fod cil drws cwpwrdd y goriadau ar agor. Aeth ato ac edrych y tu mewn. Roedd yn edrych yn foel – roedd goriad enfawr drws y seler ar goll. Roedd ar fin gofyn i Tecwyn a oedd wedi bod yn y seler yn ddiweddar, pan gofiodd fod ar hwnnw ofn ei adlewyrchiad ei hun, heb sôn am fentro i lawr y grisiau ym mhen draw'r Orsaf. Doedd gan Melangell Wyn ddim syniad am fodolaeth y seler. Doedd o erioed wedi sôn am y lle wrthi. Man cyfrinachol oedd y seler, a'r unig un arall wyddai am fodolaeth y lle oedd Nico. Doedd bosib...

'Iawn, Tecwyn, mi a' i adre. Os clywi di rywbeth, gad i fi wybod. Dwi'n siŵr y bydd o'n ôl adre erbyn hyn!'

'Dim problem!' atebodd Tecwyn a hanner ei wyneb wedi ei guddio tu ôl i hances boced.

Ar ei ffordd allan, aeth Gerallt at ddrws y seler a rhoddodd hergwd dda iddo, ond roedd ar glo. Ai stỳnt arall am sylw oedd hyn gan Nico, tybed? Roedd yn hen bryd i'r holl ffraeo yma ddod i ben. Gwyddai fod llwybr arall yn arwain i mewn i'r seler. Ai prawf oedd hyn gan Nico i weld a oedd o'n cofio am y llecyn cyfrinachol y tu ôl i'r drws? Dyna lle roedd angen iddo fynd, felly?

'Hwyl, Tecwyn!' gwaeddodd Gerallt. Ac wrth i'r ddrws yr Orsaf gau ar ei ôl, camodd Melangell Wyn o'r gegin.

'Tecwyn, dwyt ti ddim yn edrych yn hanner da. Dos adre i dy wely! Mi edrycha i ar ôl y ffôn tan ddiwedd y shifft...'

↳

Gyrrodd Gerallt at lan Llyn Celyn a cherdded at wal yr argae lle roedd ogof fawr yn arwain i'r twnnel dan y ddaear. Tarodd arogl mwsogl cryf ei ffroenau wrth geg y twnnel, gan ddod ag atgofion o'r trip hwnnw i lawr i grombil y seler efo Nico sawl blwyddyn yn ôl. Taniodd ei fflachlamp a dechrau cerdded yn gyflym. Roedd hi'n daith weddol bell o'r Bala i'r llyn ar hyd y ffordd, ond gwyddai fod y twnnel tanddaearol yn syth fel hedfaniad y frân, a byddai yno ymhen rhyw ugain munud pe bai'n brysio. Cyrhaeddodd y groesffordd o dan y ddaear – roedd un twnnel yn arwain at y tŵr yn y llyn, a'r llall i grombil y ddaear dan dre'r Bala. Roedd wedi bod yn blismon ers bron i ugain mlynedd ond er gwaetha'i ddewrder arferol, teimlai ryw anesmwythyd. Tybed pwy oedd y diwetha i droedio'r twnnel hwn?

↳

'DYDDGU DWYFOR! Be oedd y peth diwetha i mi ei ddweud wrthat ti?'

'Ymm, "Paid â gadael i mi dy weld di yn fy swyddfa i eto", syr,' atebodd Dyddgu yn ddigywilydd, ond roedd hi wedi cael cymaint o sioc o weld y Pennaeth yn sefyll o'i blaen nes iddi anghofio ei chwrteisi.

'Hmmm! Cyn hynny! Mi ddywedais i wrthat ti am BEIDIO â busnesu, am BEIDIO â meiddio mentro o'r tŷ ar ôl hanner nos, ac am ddilyn cyfarwyddiadau'r Tîm!'

'Sori, syr.'

'Wel, mae cyfarwyddiadau'r Tîm wedi newid. Rydw i wedi gorchymyn iddyn nhw archwilio'r Ddaear yn ofalus iawn, a dechrau yma. Huwi...?'

Ac yn sydyn, roedd Huwi a'r ddau Sam – holl aelodau Tîm B wedi codi o'r dŵr. Allai Dyddgu ddim credu ei llygaid.

'Ond... ond... be wnaeth i chi newid eich meddwl? Gwydion? Ydi o'n iawn?'

'Yndi. Mi gafodd hyd yn oed gynnig i ddod efo ni ond mi wrthododd. Mae wedi aros i edrych ar ôl eich mam. Doedd o ddim yn gwybod 'mod i'n rhan o'r cynllun, cofia!'

'Ond doeddech chi ddim yn credu gair...'

'Wel oeddwn, siŵr iawn, ond allwn i ddim dangos i'r Cyngor 'mod i'n gwrando ar orchmynion hogan ifanc fel ti! Mi fyddwn i'n cael fy nisodli'n syth pe bai pawb yn meddwl 'mod i mor hawdd â hynny i'm perswadio. Rydw i wedi bod yn cadw llygad barcud ar dy symudiadau di i gyd.'

Teimlodd Dyddgu ei bochau'n cochi. Y Pennaeth wedi bod yn ei gwylio? Cofiodd am yr oriau y bu'n syllu o bell ar Nico, y bachgen penfelyn ar lan y llyn...

'Yn anffodus, mae'r cyhoedd yn credu mai dihirod ydi pob un yn Nhîm B ers i Melangell Wyn ddwyn y Cloc Tywod. Felly, mi benderfynais i y byddai'n rhaid i mi esgus fod Tîm B wedi mynd yn groes i'r rheolau, a dianc yma i'r Ddaear. Fe ges air yng nghlust Huwi a gorchymyn iddo ddod yma ar unwaith.'

'Ond pam na fyddech chi wedi gyrru Tîm B yma fel rhan o'u gwaith bob dydd? Siawns na fyddai hynny'n gwneud mwy o synnwyr?'

Roedd Dyddgu wedi drysu'n lân.

'Wel, byddai rhoi caniatâd i Dîm B dy ddilyn di yma'n siŵr o gynhyrfu'r dyfroedd. Roedd yn *rhaid* i'r cyhoedd feddwl eu bod wedi dianc. Fy rôl i fel Pennaeth ydi ochri efo'r bobol. Allwn i ddim gadael i neb fy ngweld i'n gwneud penderfyniadau dadleuol.

'Felly'r unig opsiynau sydd gennych chi bellach, Dîm B, ydi – UN: dal Melangell Wyn a'r Cloc Tywod a dychwelyd adre yn arwyr. DAU: dychwelyd hebddi, a wynebu cael eich carcharu am fradwriaeth. TRI: peidio dychwelyd o gwbwl... Dim pwysau, felly!'

'Reit...' ystyriodd Dyddgu'r sefyllfa am ychydig. 'Ond be dach *chi*'n ei wneud yma, syr?'

'Wel... ro'n i wedi cael llond bol o eistedd o flaen desg, a bod yn onest. Fi oedd Gwyliwr gorau Selador un tro. Sut wyt ti'n meddwl y llwyddais i i ddod yn Bennaeth?'

Erbyn hyn, roedd y tîm cyfan wedi hel o flaen Dyddgu fel parti unsain, yn disgwyl iddi eu harwain.

'Iawn...' cychwynnodd yn betrus. 'Wel... ym... dilynwch fi?'

Roedd mwy o obaith dal Melangell Wyn a chipio'r Cloc Tywod yn ei ôl bellach. Ond yna cofiodd Dyddgu am Nico. Allai hi fynd yn ôl i Selador heb ddod o hyd i Nico?

Diferai dŵr o do'r twnnel heibio coler Gerallt ac i lawr ei war. Clywai sŵn gwichian a sgrialu o'i flaen, a llwyddodd ei lamp i droi'r llygod diniwed yn gysgodion maint bwystfilod ar y to. Teimlai fod y daith yn hir a'r tywyllwch yn drwm ar ei ysgwyddau.

O'r diwedd, yn y pellter, gwelodd ddrws mawr dur a gwyddai ei fod wedi cyrraedd y ffordd i mewn i'r seler. Gobeithio na fyddai'n dychryn Nico'n ormodol. Wrth nesáu, dechreuodd alw'n ysgafn,

'Nico... Nico, fi sy 'ma. Paid â dychryn. Nico... Dad sy 'ma...'

Gwthiodd y drws dur trwm ar agor ac yn sydyn roedd yn ôl mewn man cyfarwydd yng ngwaelod yr Orsaf Heddlu. Ond synnodd mor dywyll oedd y lle. Oedd o wedi gwneud camgymeriad?

'Nico? Wyt ti yma?'

Roedd Nico wedi syrthio i gysgu yn ei gornel fel

bwji'n clwydo. Roedd ei goesau wedi eu plygu'n anghyfforddus o dan ei gorff wrth iddo geisio osgoi'r dŵr oer. Deffrodd o freuddwyd ryfedd lle roedd yn nofio yn Llyn Celyn ac wedi rhoi ei ben o dan y dŵr i chwilio am bysgod. Roedd ei daid wedi nofio o rywle a dechrau sgwrs ond allai Nico ddim deall gair gan fod y geiriau'n cael eu llyncu gan y dŵr. Deffrodd Nico a thybiodd iddo glywed llais ei daid yn galw ei enw.

'Nico...' clywodd eto. Roedd yn dechrau gwallgofi yn y tywyllwch.

'Ie, Taid?' atebodd a dechrau chwerthin. Roedd wedi mynd yn wallgo go iawn! Roedd ei lygaid wedi eu cau'n dynn ond tybiai y gallai weld goleuni. Agorodd ei lygaid yn araf a sylwi nad oedd mewn tywyllwch llwyr bellach. Agorodd ei lygaid led y pen a deffro'n sydyn. A gweld ei dad yn sefyll yno efo lamp.

'O diolch byth, ti yma!' meddai ei dad gan ddod yn nes ato. 'Feddyliais i am eiliad 'mod i wedi gwneud camgymeriad...'

Ond cyn i Nico fedru dweud bw na be na rhoi unrhyw rybudd, roedd Melangell Wyn wedi codi fel gwrach o'i chuddfan ar waelod y grisiau a tharo Gerallt ar ochor ei ben efo'r union garreg a ddefnyddiodd i lorio Nico.

'Camgymeriad enfawr, Gerallt! Ha! Fe ddylech chi fod yn fwy gofalus. Does wybod pa ddihirod sydd o gwmpas y dyddiau hyn!'

Allai Nico ddim dweud dim byd ond agor ei geg mewn braw.

Llusgodd Melangell Wyn ei dad i'r ail gell a chlywodd Nico hi'n cloi'r drws.

'Dwi'n gadael y goriadau fan hyn, Nico bach!' meddai Melangell Wyn, a'u gosod ar ben y cwpwrdd ffeiliau. 'Mi allwch chi syllu arnyn nhw a difaru bod mor dwp!'

'Ond... ond be am Dad? Dwyt ti ddim yn ei garu o?'

'Hahaha!' atebodd Melangell, a'i chwerthiniad yn aflafar. 'Mae Henfaes yn grêt! Cyffordus iawn. Mi fydd hyd yn oed yn well rŵan fod y swnyn yna o'r ffordd! Biti na alla i aros llawer yn hirach i fwynhau'r moethusrwydd. Mae'r hen Dyddgu fach 'na'n rhydd yn rhywle, yn creu hafoc. Rhaid i mi ddelio â hi a wedyn symud yn fy mlaen. Biti fod yn rhaid i mi fynd hefyd. Ro'n i'n mwynhau bywyd ar y Ddaear, er ei bod hi'n bwrw glaw yn rhy aml. Wel, Nico, mae hi wedi bod yn brofiad emosiynol iawn. Hwyl am y tro!'

Cusanodd Melangell Wyn ei llaw a chwythu cusan at Nico a'i dad. Yna, dringodd y grisiau nes nad oedd sŵn ei thraed yn ddim ond atgof, a diflannodd y golau o'r golwg tu ôl i'r drws mawr dur ymhell bell uwch eu pennau.

Clywodd Nico sŵn griddfan ei dad yn dod o'r gell drws nesa.

'Be goblyn sy'n mynd ymlaen?' gofynnodd yn gryg.

Sylwodd Nico, er mawr arswyd iddo, fod ganddo lot fawr o amser i ateb cwestiwn ei dad, felly penderfynodd ddechrau o'r dechrau.

11

Cododd Awen a Magi i adael. Roedd treulio cymaint o amser yn ei hen gartre wedi dechrau dod ag atgofion cas yn ôl i Awen. Yn y cyfnod roedd Melangell Wyn wedi ei dreulio yma, roedd hi wedi trawsnewid y lle gydag addurniadau drud a lluniau enfawr ohoni hi ei hun. Galwodd Awen yr Orsaf Heddlu unwaith eto, rhag ofn, ond doedd neb yno. Gobeithio fod hyn yn arwydd da, meddyliodd. Roedd Gerallt allan yn chwilio am ei fab. Sgriblodd neges sydyn ar gefn amlen a'i gadael ar fwrdd y gegin. Efallai y byddai Nico wedi dychwelyd i Dyddyn Garw erbyn hyn, beth bynnag.

Yna, clywodd y ddwy sŵn y drws ffrynt yn agor.

'Gerallt? Unrhyw lwc?' galwodd Awen.

Daeth ffrwydrad o wallt coch gwyllt trwy'r drws a phâr o lygaid peryglus.

'Be ti'n neud yma, Awen? Dos o 'nghartre i ar unwaith!' poerodd Melangell Wyn yn wenwynig. Roedd hi'n amlwg mewn tymer ddrwg, a golwg wedi cael ei thynnu drwy wrych arni. Roedd ei hesgidiau a'i hewinedd yn fwd i gyd.

'Rhag dy gywilydd di! Mae o'n fwy o gartre i fi na fydd o i ti byth! Gyrra Gerallt i fyny i Dyddyn Garw ar unwaith os daw neges am Nico.'

Dechreuodd Melangell Wyn chwerthin yn orffwyll dros bob man.

'Be sy mor ddoniol?' gofynnodd Magi'n swil.

'Hahaha! Dim byd, cariad bach, ewch adre!' meddai Melangell Wyn yn sbeitlyd gan adael y gegin a dringo'r grisiau. Edrychodd Awen a Magi ar ei gilydd mewn syndod a throi i adael. Ond yna clywodd y ddwy sgrech annaearol yn dod o'r llofft. Gafaelodd Awen yn y procer tân a rhedodd y ddwy i fyny'r grisiau.

Yng nghanol y stafell wely fawr, safai gŵr mawr mwstashog mewn siwt ddŵr, a golwg filain iawn ar ei wyneb. Ac o'i flaen, wedi'i rhewi i'r llawr, roedd Melangell Wyn. Syllodd Magi ac Awen mewn syndod heb ddweud gair. Teimlodd y ddwy bresenoldeb y tu ôl iddynt, a dyna lle roedd Dyddgu yn edrych yn syth drwyddyn nhw a thri pherson arall mewn siwtiau dŵr tyn, yn edrych fel petaen nhw newydd gamu o gylchgrawn arwyr anghyffredin. Roedd Melangell Wyn wedi ei hamgylchynu, ond pwy ar wyneb y ddaear oedd y bobol yma?

Llamodd Melangell Wyn ar draws y stafell i geisio dianc rhag y gŵr mawr a'i fwstásh bygythiol.

'Caniatâd i'w tharo â'r procer, syr!' gwaeddodd y gŵr rhyfedd yr olwg i gyfeiriad y drws.

Roedd Awen wedi bod eisiau taro Melangell Wyn ar ei phen â phrocer ers misoedd ond doedd hi ddim yn ddynes oedd yn gwneud pethau felly fel arfer. Felly, neidiodd Dyddgu o rywle a rhoi tacl rygbi i Melangell Wyn nes ei bod hi'n fflat ar lawr.

'Gad lonydd i fi!' sgrechiodd Melangell Wyn fel hwch ar ddiwrnod lladd mochyn. 'Bradwr! Fi ddysgodd bob dim i ti! Gad fi'n rhydd!'

Camodd y Pennaeth tuag ati a thynnu'r Cloc Tywod oddi ar y gadwyn am ei gwddw gydag un plwc sydyn.

'Gymera i hwn, diolch yn fawr,' meddai. 'Reit! Tîm B, pwy sy'n barod i ddychwelyd i Selador fel arwyr?'

'Ieeeee!' gwaeddodd pawb, ond sylwodd Magi nad oedd gwên ar wyneb Dyddgu. Wel, doedd byth gwên ar wyneb Dyddgu ond roedd 'na olwg arni fel petai hi'n poeni. Sylwodd Magi fod y ddwy'n meddwl yr un peth, am y tro cynta ers iddyn nhw gwrdd.

'Dyddgu, be am Nico?' mentrodd ofyn. Tawelodd y stafell a throdd pawb i edrych arni.

'Pwy ydi Nico?' holodd y Pennaeth.

'Nico sy wedi bod yn trio fy helpu i gael y Cloc Tywod yn ôl. Dwi'n amau ei fod mewn trwbwl o'n herwydd ni.'

'Mewn trwbwl?' gofynnodd Magi'n bryderus.

Dechreuodd Melangell Wyn chwerthin yn dawel ar lawr, er bod ei dwylo tu ôl i'w chefn, ei hwyneb yn fflat ar y llawr, a dau o'r Gwylwyr yn eistedd ar ei choesau.

'Ble mae o?' gofynnodd Awen yn oeraidd, gan sylwi o'r diwedd nad diflannu er mwyn cael sylw roedd Nico wedi ei wneud y tro hwn.

Penliniodd wrth wyneb Melangell Wyn a gafael yn ei phen a'i gorfodi i edrych i fyw ei llygaid.

'Ble mae Nico?'

Syllodd Melangell Wyn yn ddwfn i lygaid Awen, a chwerthin yn ei hwyneb.

Gafaelodd dau o'r Tîm ym mreichiau Melangell Wyn a'i chodi ar ei thraed yn ddiseremoni. Roedd ei gwallt coch bellach yn glymau dros ei dannedd. A daliai i wenu fel clown.

'Na, arhoswch!' meddai Dyddgu'n bwyllog. 'Allwn ni ddim gadael heb ddod o hyd i Nico... Dwi'n siŵr y gall Selador aros am awr arall.'

Disgwyliai Dyddgu i'r Pennaeth wfftio ei chais ond cafodd sioc. Ystyriodd y Pennaeth am ychydig eiliadau cyn ateb.

'Iawn. Digon teg. Os ydi o 'di bod yn ein helpu ni, efallai y dylen ni ad-dalu'r ffafr. Ond allwn ni ddim aros am fwy nag awr, iawn?'

Dim ond awr. Roedd meddyliau Magi, Awen a Dyddgu'n gwibio i bobman ar gyflymder o gan milltir yr awr. Ble allai o fod?

'Wel, mi allwn i'ch arwain chi at Nico yn *ddigon* hawdd...!' meddai Melangell o'r tu ôl i'r llen o wallt a guddiai ei hwyneb. Daliodd pawb eu gwynt.

'Pam ddylen ni dy gredu di, y lleidr?' heriodd y Pennaeth hi'n gas.

'Am y bydd hi'n bleser gweld yr olwg ar eich wynebau chi pan ddown ni o hyd i *Nico bach*. Mi fydd o 'di cael ei fwyta'n fyw gan lygod mawr, neu foddi wrth gwrs... neu waeth! A dweud y gwir, allwn i ddim dychmygu dychwelyd i Selador heb wybod pa erchyllterau sydd wedi digwydd iddo!'

Boddwyd chwerthin sbeitlyd Melangell Wyn gan sgrech iasol Awen. Dim ond awr oedd ganddyn nhw i ddod o hyd iddo.

Ar ôl i Nico orffen y stori, disgynnodd llen o dawelwch mwy trwchus na'r wal oedd yn eu gwahanu rhwng y tad a'r mab.

'Dad?' holodd Nico i wneud yn siŵr nad oedd ei dad wedi syrthio i gysgu hanner ffordd drwy'r stori.

'Nico, dwi'm yn siŵr be i'w goelio. Alli di'm defnyddio'r dychymyg 'na sy gen ti i feddwl am ffordd o'n cael ni'n rhydd?'

Eisteddai Nico a'i goesau fel teiliwr ar ei gornel garreg. Roedd wedi aros fel hyn ers rhai oriau bellach i osgoi gwlychu mwy ar ei draed tamp. Yna, o rywle, daeth ton o ddŵr dros ei draed. Symudodd yn ôl a cheisio gwneud ei hun yn gyfforddus eto. Ond daeth y dŵr yn nes a golchi dros ei goesau. Teimlodd y gornel goncrit. Doedd hi ddim yn sticio allan o'r dŵr bellach.

'DAD?' gwaeddodd mewn panig. 'Mae'r dŵr yn codi!'

Cydiodd Gwydion yn dynn yn y darn cylch o bren yn ei gôl. Oni bai am y darn hwn o dystiolaeth, byddai'n credu mai breuddwyd oedd ymdrech y Gwylwyr i'w achub o'i gartre. Sut fyddai'n esbonio'r twll yn y llawr wrth ei fam?

Edrychodd drwy'r twll siâp cylch. Roedd y môr yn

ddu ac allai o ddim gweld dim byd ond dŵr ac ewyn. Clywodd y Ceidwad yn chwyrnu y tu allan i'r drws a mentrodd fynd i'r rhiniog i weld. Rhochiodd y Ceidwad yn sydyn a stopio anadlu o deimlo'r ddaear yn symud. Rhewodd Gwydion ac aros i'r Ceidwad ailddechrau chwyrnu. Ond er gwaetha'i wendidau, roedd y Ceidwad hwn wedi ei hyfforddi'n dda. Agorodd ei lygaid yn sydyn a syllu ar Gwydion yn gyhuddgar.

'Wyt ti'n mynd i rywle?'

'Na! Na... ddim o gwbwl,' atebodd Gwydion. 'Dim ond yn dod am awyr iach... nos da!' A gwibiodd Gwydion i'r tŷ a chau'r drws ar ei ôl. Curai ei galon yn gyflym. Ond nid cyhuddiad y Ceidwad oedd wedi ei gynhyrfu. Dros ysgwydd y Ceidwad, roedd o wedi gweld darlun yn y dŵr. Roedd yn anodd gweld i ddechrau gan ei bod mor dywyll ond roedd Gwydion wedi gweld Nico yn y llun ac roedd golwg erchyll ar ei wyneb.

Doedd dim ots ganddo os âi i fwy o drwbwl. Roedd Selador yn marw ac fe allai o wneud rhywbeth am y sefyllfa. Gwnaeth benderfyniad ac ysgrifennodd neges frysiog i'w fam.

Wedi mynd i chwilio am Dyddgu. Fydda i'n ôl o fewn 24 awr – addo. Cariad mawr, Gwydion xx
P.S. Sori am y twll yn y llawr, dim fi na'th.

Roedd y dŵr wedi codi a chodi nes cyrraedd gwast Nico bellach. Roedd y tywyllwch yn gwneud popeth gan mil gwaeth gan na allai'r un o'r ddau weld y dŵr nac unrhyw greaduriaid byw a allai fod yn nofio ynddo.

Syllodd Nico ar y môr o ddüwch o'i flaen nes iddo ddechrau dychmygu ei fod yn goleuo fel colsyn o lo poeth mewn tanllwyth o dân. Ac wrth feddwl am dân, dechreuodd deimlo'n gynnes a gallai daeru bod y dŵr rhewllyd oedd yn llepian am ei ganol yn cynhesu, fel jacwsi. Caeodd ei lygaid a dychmygu ei fod ar wyliau. Clywodd ei dad yn ochneidio mewn ofn a chlywodd glec galed yn dod o'r to a sblash drom.

'AWTSH!' gwaeddodd rhywun dros y lle.

'Dad? Be ddigwyddodd?'

'Nico?' Clywodd Nico lais cyfarwydd ond nid llais ei dad oedd o. Meddyliodd am eiliad – lle roedd o wedi clywed y llais yna o'r blaen?

'Gwydion??'

'Ie! Lle wyt ti?'

'Be gebyst? Pwy ydi Gwydion? O ble ddoist ti?' gwichiodd llais dryslyd Gerallt o'r gell.

'Gwydion, oes gen ti olau?'

'Ym... nac oes...'

'Daria!' rhegodd Nico. Roedd y bachgen yn ddigon anobeithiol ar y gorau, heb sôn am orfod trio eu hachub mewn tywyllwch dudew. Estynnodd am ei ffôn symudol ond roedd y dŵr wedi ei ddifetha'n llwyr.

'Gwydion, tro rownd yn ofalus a cherdded am yn

ôl, ac mi ddoi di at gwpwrdd ffeiliau metel... bydd yn ofalus.'

Clywodd sŵn Gwydion yn ymlusgo drwy'r dŵr. A sŵn ei ddwylo'n tapio'r cwpwrdd.

'Iawn. Be rŵan?'

'Ar dop y cwpwrdd mae pâr o oriadau... Bydd yn ofalus, ond plis brysia, mae'r dŵr yn codi...'

Clywodd Nico sŵn dwylo'n llusgo ar hyd top y cwpwrdd ac yna sŵn plop fach ysgafn.

'Wps!'

'Gwydion! Ti ddim wedi gollwng y goriadau i'r dŵr?'

'Ymmm...'

Clywodd Nico sŵn straffaglu ac yna'n sydyn, fe'i dallwyd gan fflach o olau llachar a oleuodd y seler fel ffair. Brifai ei lygaid i'r fath raddau nes iddo weddïo am gael y tywyllwch yn ei ôl. Ar ôl ymgyfarwyddo â'r golau am ychydig gyda'i lygaid ynghau, mentrodd eu hagor. Dyna lle roedd Gwydion yn sefyll a fflachlamp fawr ei dad yn ei law dde, a'r goriadau yn ei law chwith.

'Roedd hon ar dop y cwpwrdd hefyd!' meddai Gwydion yn wên o glust i glust, gan ddal y fflachlamp uwch ei ben.

12

Cyrhaeddodd Melangell Wyn a'i gwarchodlu'r Orsaf dywyll a chwiliodd drwy ei phocedi am y goriad. Teimlai Dyddgu'n anesmwyth. Roedden nhw'n mentro i diriogaeth Melangell Wyn yn yr Orsaf. Pwy a ŵyr pa driciau oedd ganddi?

'Ble mae o?' gwaeddodd Awen yn wyllt wrth i Melangell Wyn fynd ati'n hamddenol i agor y drws.

'Amynedd!' gwenodd Melangell Wyn yn filain.

'Bydd dawel!' meddai'r Pennaeth. 'Dim gair nes y byddwn ni'n dod o hyd i'r bachgen.'

Camodd pawb i mewn i'r Orsaf Heddlu. Doedd dim smic i'w glywed, dim llais na symudiad yn y celloedd. Dim hyd yn oed sŵn tisian Tecwyn.

Cerddodd Melangell Wyn yn hamddenol i gefn yr Orsaf a sefyll fel ci ufudd wrth ddrws y seler. Gwthiodd Dyddgu'r drws ond roedd ar glo. Edrychodd pawb ar Melangell Wyn yn ddisgwylgar.

'Wel?' gofynnodd y Pennaeth yn awdurdodol. 'Ble mae'r goriad i'r drws?'

'Mi ddywedoch chi wrtha i am beidio â dweud gair!' atebodd Melangell yn ddigywilydd. 'Mae'r goriad yn yr oergell, yn y darn oer, oer yn y top. Mi fydd angen lamp. Mae hi mor dywyll â'r bedd i lawr fan'na...'

Gwingodd Awen wrth glywed y gair bedd. Allai hi ddim peidio â meddwl am yr holl bethau erchyll allai fod wedi digwydd i Nico.

Gyda phob gris i lawr i'r dyfnderoedd, teimlai Dyddgu ei bod yn cael ei thynnu'n ddyfnach ac yn ddyfnach i drap Melangell Wyn. Ond doedd dim dewis ganddi. Roedd ganddi awr – na, llai nag awr bellach – i ddod o hyd i Nico.

Cyrhaeddodd y criw waelod y grisiau, i ddyfnder dŵr oer hyd at dop eu coesau. Oni bai am ebychiadau rhag yr oerfel, doedd dim smic i'w glywed. Roedden nhw'n sefyll mewn hen, hen stafell damp a'i tho'n ddychrynllyd o isel. Roedd dwy gell hynafol yr olwg ar yr ochr chwith a chwpwrdd ffeiliau wedi dechrau rhydu ar yr ochr dde. Rhedodd ias i lawr cefn Dyddgu wrth ddychmygu fod Nico wedi ei gadw'n garcharor yma. Ond yna sylwodd fod golwg ddryslyd ar wyneb Melangell Wyn. Rhuthrodd pawb at y celloedd, gan ymladd am yr ychydig belydrau golau a ddeuai o'r unig fflachlamp. Agorwyd drysau trwm y celloedd ond rocdd y ddwy'n wag heblaw am hen sach yng nghornel yr un bella.

Yna, sgrechiodd Magi dros bob man wrth glywed sŵn siffrwd y tu ôl iddi. Pwyntiodd Dyddgu'r fflachlamp i'r gell gynta. Llygoden fawr oedd hi, yn ceisio nofio i dir sych. Yna, yng ngolau'r lamp, gwelodd Magi rywbeth cyfarwydd.

'Ffôn Nico!' gwaeddodd dros bob man. Rhedodd pawb i edrych a dechreuodd Awen igian crio.

'Ble mae o? Be ti 'di neud efo fo?' gwaeddodd yn flin. Ond doedd dim golwg o Melangell Wyn.

'Ble mae hi?' Aeth llaw'r Pennaeth at boced ei frest ac

yn y golau gwan gwelodd pawb ei wyneb yn troi'n wyn.
Yn y cynnwrf a'r golau gwael roedd hi wedi diflannu
dan eu trwynau. Roedd Melangell Wyn yn gyflym, yn
un o Wylwyr gorau Selador – fe allai hi fod yn unrhyw
le erbyn hyn.

'Mae hi 'di mynd â'r Cloc Tywod...'

'Iawn, neb i gynhyrfu!' gwaeddodd Dyddgu i dawelu'r
ffrwydrad o banig yn y seler. Roedd pawb yn troi yn eu
hunfan fel y llygod mawr, ond heb syniad lle i droi.

'Dyw hi ddim wedi mynd i fyny'r grisiau neu mi
fyddai hi wedi'n cloi ni i mewn, ac mae'r drws led y pen
ar agor... felly mae'n rhaid ei bod wedi mynd y ffordd
yma, i'r twnnel. All hi ddim bod yn bell, does ganddi
ddim golau.'

'Ond i ble mae'r twnnel yn arwain? Efallai mai trap
ydi'r cyfan!' ychwanegodd Huwi, bob amser yn ofalus
o'i Dîm.

'I'r llyn. Mae'r twnnel yn arwain at Lyn Celyn,'
meddai llais tawel Awen.

Sylweddolodd criw Selador yn sydyn i ble roedd
Melangell Wyn yn anelu. Roedd hi am geisio dianc eto
drwy'r llyn, a'r Cloc Tywod gyda hi.

Roedd rhedeg yn anodd trwy gymaint o ddŵr ond,
yn ffodus, fe âi'r lefel yn is ac yn is wrth i'r criw fynd
ymhellach drwy'r twnnel. Yn ogystal â swn tuchan y
criw yn ceisio cael eu gwynt wrth redeg, roedd pit-
patian traed llygod mawr i'w clywed ac i'w teimlo o
amgylch eu fferau. Synnai Dyddgu o glywed Magi mor
dawel. Roedd hi'n hanner gobeithio ei chlywed yn
sgrechian.

Roedd Dyddgu a Thîm B yn gyflym ond ddim mor gyflym â Melangell Wyn. Er ei chlywed yn y pellter, roedd golau'r lamp yn rhy wan i gael cip arni.

'Ewch yn gynt!' gwaeddodd y Pennaeth dan duchan. Roedd y blynyddoedd o eistedd wrth ddesg yn gweiddi gorchmynion yn golygu ei fod wedi magu bol a cholli cryn dipyn o'i ffitrwydd.

Bellach, roedd Tîm B yn rhedeg nerth eu traed drwy'r twnnel ond roedd pob math o gerrig a rwbel yn eu baglu. Yn sydyn, aeth Huwi ar ei hyd ar lawr ac atseiniodd ei gri boenus drwy waliau cul y twnnel. Arafodd Dyddgu i'w helpu ond gwaeddodd arni i fwrw yn ei blaen.

Teimlai Magi ei bod yn rhedeg marathon a synnai nad oedd Awen yn bell iawn y tu ôl iddi. Roedd yn rhaid dal i fynd a dilyn golau'r unig fflachlamp.

Ymhen hir a hwyr trodd awyrgylch stêl y twnnel yn fwy ffres a dechreuodd awel fain chwythu tuag atyn nhw. Roedd ceg y twnnel yn agosáu. Doedden nhw ddim wedi llwyddo i ddal Melangell Wyn na chael cip arni. Atseiniai ei chamau yn ôl drwy'r twnnel yn groch. Roedd hi o leia funud os nad ddau funud o'u blaenau.

Daeth Dyddgu at groesffordd yn y twnnel. Roedd y Pennaeth a'i fflachlamp gryn dipyn y tu ôl iddi bellach ac allai hi ddim gweld llawer tu hwnt i'r cysgodion. Penderfynodd ddyfalu'r ffordd a heb arafu dim, cymerodd y twnnel tywyll a fforchiai i'r chwith.

'Rhywun i fynd i'r dde!' gwaeddodd dros ei hysgwydd. Bu bron i Dyddgu redeg yn syth i mewn i ddrws mawr dur yn syth wedi fforchio i'r chwith. Sgrialodd i stop a thynnu'r drws trwm ar agor â'i holl nerth. Roedd grisiau troellog yn arwain ymhell i fyny i ryw fath o dŵr. Gallai weld goleuni pŵl yn dod o'r top. Rhedodd i fyny, gan gymryd dwy ris ar y tro a chlywodd ei thraed yn atseinio ar y metel yn swnllyd. Gyda phob cam, roedd awel yn codi ac oerfel yn brathu ei hwyneb. Clywodd sŵn traed ymhell oddi tani. Roedd rhywun yn ei dilyn, diolch byth. Gwyddai na allai drechu Melangell Wyn ar ei phen ei hun yn hawdd. Cyrhaeddodd dop y grisiau. Roedd hi ar ben y tŵr a safai fel ynys fechan ynghanol Llyn Celyn. Roedd y gwynt wedi codi'n arw a chwifiai ei gwallt i'w llygaid a'i dallu am eiliad. Edrychodd o'i chwmpas yn wyllt ond doedd dim golwg o Melangell Wyn ar yr ochor hon i'r tŵr. Allai hi ddim gweld yr ochor draw ac wrth iddi ystyried p'un ai mynd i'r dde neu i'r chwith i gyrraedd yr ochor draw clywodd sblash enfawr. Clywodd sŵn traed yn ei dilyn i fyny grisiau'r tŵr. Trodd i weiddi,

'Mae'n rhaid bod Melangell Wyn wedi neidio i'r llyn! Dwi'n mynd ar ei hôl hi...'

Heb aros i ystyried, neidiodd dros wal ddiogelwch y tŵr a phlymio dros ei phen i ddŵr rhynllyd y llyn.

Eisteddai Gwydion, Nico a Gerallt a'u cefnau'n pwyso yn erbyn ochor fewnol top y tŵr. Roedd y tri allan o wynt yn lân. Yn ei ddwrn, gafaelai Gwydion yn dynn yn y Cloc Tywod bychan a gipiodd o wddw Melangell Wyn wrth iddi hedfan dros ochor y tŵr ac i mewn i'r dŵr. Edrychodd Nico ar y Cloc. Roedd Dyddgu'n dweud y gwir. Roedd y tywod yn rhedeg o'r top i'r gwaelod, ond doedd 'run o'r ddau bentwr yn mynd yn fwy nac yn llai. Roedd yn union fel hud a lledrith!

Oddi tanynt yn y llyn, clywodd y tri sgrechiadau rhwystredig Melangell Wyn. Doedd dim gobaith iddi ddringo i fyny ochrau serth y tŵr.

'Roedd honna'n dacl a hanner, Gwydion!' meddai Nico rhwng dwy anadl drom. 'Lle ddysgaist ti hynna?'

'Ar bennod o'r *Gwylwyr* un tro ar y teledu...' atebodd Gwydion yn falch.

'Dwi'n meddwl y byddai'n well i ni ffonio'r heddlu...' Ystyriodd Gerallt hyn am eiliad a chofio na fyddai ffonio'r Orsaf Heddlu'n syniad da wedi'r cyfan. 'Neu efallai'r Orsaf Dân? Bydd rhaid i rywun ddod i achub Melangell o'r dŵr neu mi fydd hi 'di dychryn y pysgod i gyd!'

'Gerallt! Help! Gerallt, dwi'n boddi!'

Cododd Gerallt ei aeliau o glywed y gofid yn llais ei gyn-gariad.

'Smalio mae hi, Dad,' atebodd Nico. 'Dydi hi ddim angen ei hachub. Fe all hi neidio i unrhyw le.'

'Neidio i ble?' atebodd Gerallt a golwg syn ar ei wyneb.

'Dim ots,' atebodd Nico, a phwyso ei ben yn erbyn y wal. Ar ôl bod yn gaeth yn y seler cyhyd roedd teimlo'r awel ar ei wyneb yn braf, er ei fod mor oer nes iddo ddechrau colli'r teimlad yn ei fochau.

Yna, yn nhawelwch eu synfyfyrio dwys, clywodd y bechgyn ail sblash enfawr. Edrychodd pawb ar ei gilydd yn syn a neidio ar eu traed yn flinedig. Er gwaetha golau'r lleuad llawn roedd y dyfroedd duon yn llyncu'r olygfa oddi tanynt. Gallent weld Melangell Wyn yn padlo'n wyllt, a'i gwallt coch bellach yn un sbloetsh ar ei phen fel slefren fôr. Wrth ei hymyl roedd cysgod rhywun arall yn nofio'n wyllt.

Daeth sŵn traed i fyny grisiau metel y tŵr i ddrysu'r tri ymhellach.

'Gerallt?' gwaeddodd llais o'r tu ôl iddynt. 'Nico...?' Trodd Nico a'i dad a chael braw o weld Magi ac Awen yn sefyll yno, hyd yn oed yn fyrrach o wynt nag oedd y ddau ohonyn nhw eiliadau ynghynt.

Ymhen dwy eiliad roedd Magi a'i fam wedi gwasgu Nico'n grempogen, nes ei fod yntau bron â disgyn i'r dŵr at y parti bach yn y llyn.

'Be goblyn dach chi'ch dwy'n ei wneud yma? All unrhyw un ddweud wrtha i be sy'n mynd ymlaen?' holodd Gerallt. Torrodd sgrech ffyrnig ar y foment dyner a rhedodd pawb at ochr y llyn. Roedd ffigwr tywyll wedi nofio at Melangell Wyn ac yn tynnu ei phen yn ôl gerfydd ei gwallt.

'Lle mae'r Cloc?' ysgyrnygodd Dyddgu yn ei chlust ar ôl sylwi nad oedd o amgylch gwddw Melangell Wyn. Sgrechiodd Melangell Wyn eto wrth drio dianc o grafangau dur Dyddgu yn y dŵr.

'BLE MAE O?' gwaeddodd Dyddgu eto gan dynnu ei gwallt yn galetach.

'Dyddgu!' gwaeddodd Gwydion arni o ben y tŵr. 'Dyddgu, mae'r Cloc Tywod gen i!' a chododd y Cloc i'r awyr. Disgynnodd pelydrau'r haul ar y gwydr nes creu adlewyrchiad mor llachar nes y gallai rhywun fod wedi ei weld o Dyddyn Garw.

'Gwydion! Be wyt ti'n ei neud yma? Nico! Wyt ti'n iawn?'

'Yndw...' atebodd Nico.

'Gwydion, mae Tîm B ar eu ffordd. Rho'r Cloc Tywod yn ddiogel i'r Pennaeth... Wela i di yn Selador...'

Syllodd Dyddgu ar Nico am eiliad a heb ffarwelio na dim, gafaelodd yn dynnach â'i dwy fraich am Melangell Wyn a diflannu dan y dyfroedd. Gwelodd Nico fflach o olau cyfarwydd o dan y llyn, ac yna dim byd. Roedd y ddwy wedi dychwelyd i Selador.

Gwenodd Gwydion wrtho'i hun wrth afael yn dynn yn y Cloc Tywod. Wyddai o ddim pam na sut y daeth y Pennaeth yma ond roedd o'n mynd i fwynhau'r olwg ar ei wyneb pan fyddai'n gosod y Cloc yn ei law.

'Ble aethon nhw?' gofynnodd Gerallt yn syn, 'Dwi am neidio, dwi'n mynd ar eu holau nhw...'

'Na! Paid, maen nhw wedi mynd,' atebodd Nico. Ac roedd cymaint o sicrwydd a thristwch yn ei lais nes i'w dad wrando arno.

Gorffennodd Nico blannu'r rhes ola o foron a sychu'r chwys oddi ar ei dalcen gyda'i grys-T. Bron na allai gardd Tyddyn Garw gystadlu â'r Ardd Fotaneg Genedlaethol bellach – roedd cymaint o amrywiaeth o lysiau a blodau yn tyfu yno. Roedd yr hen dŷ'n edrych fel newydd, a chôt o baent gwyn glân ar gerrig y waliau. Clywodd sŵn chwerthin yn dod o'r tŷ. Roedd Taid a Nain wedi dod am de, ac arogl cacennau ffres yn llenwi'r gegin.

'Ew, mae'r hen dyddyn 'ma'n edrych yn dda gen ti, Awen!' clywodd lais Taid yn canmol drwy'r ffenest.

'Pryd gawn ni ddod adre?' clywodd ei nain yn ateb.

Teimlodd Nico belydrau'r haul yn ei daro fel pe bai mewn ffwrn meicrodon. Llygadodd ddŵr oer y llyn yn awchus.

'Dwi'n rhedeg i'r llyn i oeri!' gwaeddodd drwy'r ffenest agored.

'Oes colled ar y bachgen, dudwch?' clywodd lais ei nain yn y pellter.

Plymiodd Nico i'r dyfnderoedd a theimlo gwefr wrth i'r dŵr oeri ei groen tanbaid. Ystyriodd agor ei lygaid dan y dŵr, rhag ofn... ond allai o ddim diodde'r siom o weld dim ond pysgod a gwymon. Nofiodd mewn cylchoedd am sbel ac yna cerdded o'r dŵr i sychu yn yr haul. Eisteddodd ar lan y llyn ac edrych draw am y tŵr. Clywodd ei ffôn symudol ar ben ei bentwr dillad yn gwneud sŵn blîp. Allai o prin gredu ei glustiau – signal ar lan Llyn Celyn? Waw! Neges oedd hi gan Magi,

Ffansi dod draw? M x

Syllodd ar ei sgrin am sbel.

'Iawn?' meddai llais tu ôl i'w ysgwydd. Neidiodd Nico mewn braw. Edrychodd dros ei ysgwydd. Roedd Dyddgu'n eistedd yno, a'i choesau oddi tani fel teiliwr. Yn ôl ei harfer, doedd dim gwên na gwg ar ei hwyneb.

'Iawn?' atebodd Nico, a gosod ei ffôn yn ôl yn ddiogel ar ei grys-T. Cododd garreg lefn a'i byseddu. Taflodd hi'n gywrain i'r dŵr nes iddi sgimio wyneb y llyn bum gwaith cyn suddo. Eiliadau'n ddiweddarach gwibiodd carreg heibio'i glust chwith a sgimio wyneb y llyn chwe gwaith cyn suddo. Ochneidiodd Nico. Oedd unrhyw beth na allai'r ferch yma'i wneud yn well nag o?

Cododd Dyddgu a dod i eistedd wrth ei ymyl.

'Mae Selador yn gwella, yn ara deg.' Estynnodd Dyddgu ei llaw. Roedd blodyn bychan ynddi – a'r lliw piws yn fwy llachar na'r un lliw welodd Gwydion erioed o'r blaen.

'Bydd rhaid i ti ddod draw am dro rywbryd.'

Nodiodd Nico a dal i syllu'n freuddwydiol i'r llyn.

Pwysodd Dyddgu'n nes at Nico a rhoi cusan hir ar ei foch.

'Diolch,' meddai, a chodi. Trodd i edrych ar Nico ac allai o ddim bod yn siŵr, ond credai iddo weld cysgod gwên ar ei hwyneb.

'Cofia alw unrhyw bryd. Mi fydd croeso i ti yn Selador...'

A cherddodd Dyddgu i'r llyn yn ara nes i bob darn ohoni ddiflannu dan y dŵr. Eisteddodd Nico gan syllu ar y darn lle diflannodd Dyddgu eiliadau ynghynt. Doedd dim crych nac aflonyddwch, dim ond arwyneb llyfn y dŵr. Syllodd ar y blodyn piws yn ei law. Roedd ganddo lond gardd o bethau hyfryd ond dim byd cyn hyfryted â hwn.

Gwaeddodd i gyfeiriad Tyddyn Garw, 'Mam, dwi'n mynd am dro. Paid â 'nisgwyl i'n ôl cyn swper...'

Cododd Nico a gadael i'r blodyn piws ddisgyn oddi ar ei lin i orffwys ar lan y llyn.